LES HORLAS

Collection dirigée par Hubert Nyssen et Sabine Wespieser

© ACTES SUD, 1995
pour la présente édition
ISBN 2-7427-0636-4

Illustration de couverture :
William Blake, *La Lutte des diables*
détail de *l'Enfer chant XXII*
City Museum and Art Gallery, Birmingham

GUY DE MAUPASSANT

LES HORLAS

récits

Dossier critique par Roger Bozzetto
et Alain Chareyre-Méjan

LETTRE D'UN FOU
1885

Mon cher docteur, je me mets entre vos mains. Faites de moi ce qu'il vous plaira.

Je vais vous dire bien franchement mon étrange état d'esprit, et vous apprécierez s'il ne vaudrait pas mieux qu'on prît soin de moi pendant quelque temps dans une maison de santé plutôt que de me laisser en proie aux hallucinations et aux souffrances qui me harcèlent.

Voici l'histoire, longue et exacte, du mal singulier de mon âme.

Je vivais comme tout le monde, regardant la vie avec les yeux ouverts et aveugles de l'homme, sans m'étonner et sans comprendre. Je vivais comme vivent les bêtes, comme nous vivons tous, accomplissant toutes les fonctions de l'existence, examinant et croyant voir, croyant savoir, croyant connaître ce qui m'entoure, quand, un jour, je me suis aperçu que tout est faux.

C'est une phrase de Montesquieu qui a éclairé brusquement ma pensée. La voici : "Un organe de plus ou de moins dans notre machine nous aurait fait une autre intelligence.

"… Enfin, toutes les lois établies sur ce que notre machine est d'une certaine façon seraient différentes si notre machine n'était pas de cette façon."

J'ai réfléchi à cela pendant des mois, des mois et des mois, et, peu à peu, une étrange clarté est entrée en moi, et cette clarté y a fait la nuit.

En effet, nos organes sont les seuls intermédiaires entre le monde extérieur et nous. C'est-à-dire que l'être intérieur, qui constitue *le moi*, se trouve en contact, au moyen de quelques filets nerveux, avec l'être extérieur qui constitue le monde.

Or, outre que cet être supérieur nous échappe par ses proportions, sa durée, ses propriétés innombrables et impénétrables, ses origines, son avenir ou ses fins, ses formes lointaines et ses manifestations infinies, nos organes ne nous fournissent encore sur la parcelle de lui que nous pouvons connaître que des renseignements aussi incertains que peu nombreux.

Incertains, parce que ce sont uniquement les propriétés de nos organes qui déterminent pour nous les propriétés apparentes de la matière.

Peu nombreux, parce nos sens n'étant qu'au nombre de cinq, le champ de leurs investigations et la nature de leurs révélations se trouvent fort restreints.

Je m'explique. – L'œil nous indique les dimensions, les formes et les couleurs. Il nous trompe sur ces trois points.

Il ne peut nous révéler que les objets et les êtres de dimension moyenne, en proportion avec la taille humaine, ce qui nous a amenés à appliquer le mot grand à certaines choses et le mot petit à certaines autres, uniquement parce que sa faiblesse ne lui permet pas de connaître ce qui est trop vaste ou trop menu pour lui. D'où il résulte qu'il ne sait et ne voit presque rien, que l'univers presque entier lui demeure caché, l'étoile qui habite l'espace et l'animalcule qui habite la goutte d'eau.

S'il avait même cent millions de fois sa puissance normale, s'il apercevait dans l'air que nous respirons toutes les races d'êtres invisibles, ainsi que les habitants des planètes voisines, il existerait encore des nombres infinis de races de bêtes plus petites et des mondes tellement lointains qu'il ne les atteindrait pas.

Donc toutes nos idées de proportion sont fausses puisqu'il n'y a pas de limite possible dans la grandeur ni dans la petitesse.

Notre appréciation sur les dimensions et les formes n'a aucune valeur absolue, étant déterminée uniquement par la puissance d'un organe et par une comparaison constante avec nous-mêmes.

Ajoutons que l'œil est encore incapable de voir le transparent. Un verre sans défaut le trompe. Il le confond avec l'air qu'il ne voit pas non plus.

Passons à la couleur.

La couleur existe parce que notre œil est constitué de telle sorte qu'il transmet au cerveau, sous forme de couleur, les diverses façons dont les corps absorbent et décomposent, suivant leur constitution chimique, les rayons lumineux qui les frappent.

Toutes les proportions de cette absorption et de cette décomposition constituent les nuances.

Donc cet organe impose à l'esprit sa manière de voir, ou mieux sa façon arbitraire de constater les dimensions et d'apprécier les rapports de la lumière et de la matière.

Examinons l'ouïe.

Plus encore qu'avec l'œil, nous sommes les jouets et les dupes de cet organe fantaisiste.

Deux corps se heurtant produisent un certain ébranlement de l'atmosphère. Ce mouvement fait tressaillir dans notre oreille une certaine petite peau qui change immédiatement en bruit ce qui n'est, en réalité, qu'une vibration.

La nature est muette. Mais le tympan possède la propriété miraculeuse de nous transmettre sous forme de sens, et de sens différents suivant le nombre des vibrations, tous les frémissements des ondes invisibles de l'espace.

Cette métamorphose accomplie par le nerf auditif dans le court trajet de l'oreille au cerveau nous a permis de créer un art étrange, la musique, le plus poétique et le plus précis des arts, vague comme un songe et exact comme l'algèbre.

Que dire du goût et de l'odorat ? Connaîtrions-nous les parfums et la qualité des nourritures sans les propriétés bizarres de notre nez et de notre palais ?

L'humanité pourrait exister cependant sans l'oreille, sans le goût et sans l'odorat, c'est-à-dire sans aucune notion du bruit, de la saveur et de l'odeur.

Donc, si nous avions quelques organes de moins, nous ignorerions d'admirables et singulières choses, mais si nous avions quelques organes de plus, nous découvririons autour de nous une infinité d'autres choses que nous ne soupçonnerons jamais faute de moyen de les constater.

Donc, nous nous trompons en jugeant le Connu, et nous sommes entourés d'Inconnu inexploré.

Donc, tout est incertain et appréciable de manières différentes.

Tout est faux, tout est possible, tout est douteux.

Formulons cette certitude en nous servant du vieux dicton : "Vérité en deçà des Pyrénées, erreur au-delà."

Et disons : vérité dans notre organe, erreur à côté.

Deux et deux ne doivent plus faire quatre en dehors de notre atmosphère.

Vérité sur la terre, erreur plus loin, d'où je conclus que les mystères entrevus comme l'électricité, le sommeil hypnotique, la transmission de la volonté, la suggestion, tous les phénomènes magnétiques, ne nous demeurent cachés, que parce que la nature ne nous a pas fourni l'organe, ou les organes nécessaires pour les comprendre.

Après m'être convaincu que tout ce que me révèlent mes sens n'existe que pour moi tel que je le perçois et serait totalement différent pour un autre être autrement organisé, après en avoir conclu qu'une humanité diversement faite aurait sur le monde, sur la vie, sur tout, des idées absolument opposées aux nôtres, car l'accord des croyances ne résulte que de la similitude des organes humains, et les divergences d'opinions ne proviennent que des légères

13

différences de fonctionnement de nos filets nerveux, j'ai fait un effort de pensée surhumain pour soupçonner l'impénétrable qui m'entoure.

Suis-je devenu fou ?

Je me suis dit : je suis enveloppé de choses inconnues. J'ai supposé l'homme sans oreilles et soupçonnant le son comme nous soupçonnons tant de mystères cachés, l'homme constatant des phénomènes acoustiques dont il ne pourrait déterminer ni la nature, ni la provenance. Et j'ai eu peur de tout, autour de moi, peur de l'air, peur de la nuit. Du moment que nous ne pouvons connaître presque rien, et du moment que tout est sans limites, quel est le reste ? Le vide n'est pas ? Qu'y a-t-il dans le vide apparent ?

Et cette terreur confuse du surnaturel qui hante l'homme depuis la naissance du monde est légitime puisque le surnaturel n'est autre chose que ce qui nous demeure voilé !

Alors j'ai compris l'épouvante. Il m'a semblé que je touchais sans cesse à la découverte d'un secret de l'univers.

J'ai tenté d'aiguiser mes organes, de les exciter, de leur faire percevoir par moments l'invisible.

Je me suis dit : Tout est un être. Le cri qui passe dans l'air est un rêve comparable à la bête puisqu'il naît, produit un mouvement, se transforme encore pour mourir. Or, l'esprit craintif qui croit à des êtres incorporels n'a donc pas tort. Qui sont-ils ?

Combien d'hommes les pressentent, frémissent à leur approche, tremblent à leur inappréciable contact.

14

On les sent auprès de soi, autour de soi, mais on ne les peut distinguer, car nous n'avons pas l'œil qui les verrait, ou plutôt l'organe inconnu qui pourrait les découvrir.

Alors, plus que personne, je les sentais, moi, ces passants surnaturels. Etres ou mystères ? Le sais-je ? Je ne pourrais dire ce qu'ils sont, mais je pourrais toujours signaler leur présence. Et j'ai vu – j'ai vu un être invisible – autant qu'on peut les voir, ces êtres.

Je demeurais des nuits entières immobile, assis devant ma table, la tête dans mes mains et songeant à cela, songeant à eux. Souvent, j'ai cru qu'une main intangible, ou plutôt qu'un corps insaisissable, m'effleurait légèrement les cheveux. Il ne me touchait pas, n'étant point d'essence charnelle, mais d'essence impondérable, inconnaissable.

Or, un soir, j'ai entendu craquer mon parquet derrière moi. Il a craqué d'une façon singulière. J'ai frémi. Je me suis tourné. Je n'ai rien vu. Et je n'y ai plus songé.

Mais le lendemain, à la même heure, le même bruit s'est produit. J'ai eu tellement peur que je me suis levé, sûr, sûr, sûr, que je n'étais pas seul dans ma chambre. On ne voyait rien pourtant. L'air était limpide, transparent partout. Mes deux lampes éclairaient tous les coins.

Le bruit ne recommença pas et je me calmai peu à peu ; je restais inquiet cependant, je me retournais souvent.

15

Le lendemain, je m'enfermai de bonne heure, cherchant comment je pourrais parvenir à voir l'Invisible qui me visitait.

Et je l'ai vu. J'en ai failli mourir de terreur.

J'avais allumé toutes les bougies de ma cheminée et de mon lustre. La pièce était éclairée comme pour une fête. Mes deux lampes brûlaient sur ma table.

En face de moi, mon lit, un vieux lit de chêne à colonnes. A droite, ma cheminée. A gauche, ma porte que j'avais fermée au verrou. Derrière moi, une très grande armoire à glace. Je me regardai dedans. J'avais des yeux étranges et les pupilles très dilatées.

Puis je m'assis comme tous les jours.

Le bruit s'était produit, la veille et l'avant-veille, à neuf heures vingt-deux minutes. J'attendis. Quand arriva le moment précis, je perçus une indescriptible sensation, comme si un fluide, un fluide irrésistible eût pénétré en moi par toutes les parcelles de ma chair, noyant mon âme dans une épouvante atroce et bonne. Et le craquement se fit, tout contre moi.

Je me dressai en me tournant si vite que je faillis tomber. On y voyait comme en plein jour, et je ne me vis pas dans la glace ! Elle était vide, claire, pleine de lumière. Je n'étais pas dedans, et j'étais en face, cependant. Je la regardais avec des yeux affolés. Je n'osais pas aller vers elle, sentant qu'il était entre nous, lui, l'Invisible, et qu'il me cachait.

Oh ! comme j'eus peur ! Et voilà que je commençais à m'apercevoir dans une brume au fond du miroir, dans une brume comme à travers de l'eau ; et il me semblait que cette eau glissait de gauche à droite, lentement, me rendant plus précis de seconde en seconde. C'était comme la fin d'une éclipse. Ce qui me cachait n'avait pas de contours, mais une sorte de transparence opaque s'éclaircissant peu à peu.

Et je pus enfin me distinguer nettement, ainsi que je le fais tous les jours en me regardant.

Je l'avais donc vu !

Et je ne l'ai pas revu.

Mais je l'attends sans cesse, et je sens que ma tête s'égare dans cette attente.

Je reste pendant des heures, des nuits, des jours, des semaines, devant ma glace, pour l'attendre ! Il ne vient plus.

Il a compris que je l'avais vu. Mais moi je sens que je l'attendrai toujours, jusqu'à la mort, que je l'attendrai sans repos, devant cette glace, comme un chasseur à l'affût.

Et, dans cette glace, je commence à voir des images folles, des monstres, des cadavres hideux, toutes sortes de bêtes effroyables, d'êtres atroces, toutes les visions invraisemblables qui doivent hanter l'esprit des fous.

Voilà ma confession, mon cher docteur. Dites-moi ce que je dois faire ?

LE PREMIER HORLA
1886

Le docteur Marrande, le plus illustre et le plus éminent des aliénistes, avait prié trois de ses confrères et quatre savants, s'occupant de sciences naturelles, de venir passer une heure chez lui, dans la maison de santé qu'il dirigeait, pour leur montrer un de ses malades.

Aussitôt que ses amis furent réunis, il leur dit : "Je vais vous soumettre le cas le plus bizarre et le plus inquiétant que j'aie jamais rencontré. D'ailleurs, je n'ai rien à vous dire de mon client. Il parlera lui-même." Le docteur alors sonna. Un domestique fit entrer un homme. Il était fort maigre, d'une maigreur de cadavre, comme sont maigres certains fous que ronge une pensée, car la pensée malade dévore la chair du corps plus que la fièvre ou la phtisie.

Ayant salué et s'étant assis, il dit :

— Messieurs, je sais pourquoi on vous a réunis ici et je suis prêt à vous raconter mon histoire, comme m'en a prié mon ami le docteur Marrande. Pendant longtemps il m'a cru fou. Aujourd'hui il doute. Dans quelque temps, vous saurez tous que j'ai l'esprit aussi sain, aussi lucide, aussi clairvoyant que les vôtres, malheureusement pour moi, et pour vous, et pour l'humanité tout entière.

Mais je veux commencer par les faits eux-mêmes, par les faits tout simples. Les voici :

J'ai quarante-deux ans. Je ne suis pas marié, ma fortune est suffisante pour vivre avec un certain luxe. Donc j'habitais une propriété sur les bords de la Seine, à Biessard, auprès de Rouen. J'aime la chasse et la pêche. Or, j'avais derrière moi, au-dessus des grands rochers qui dominaient ma maison, une des plus belles forêts de France, celle de Roumare, et devant moi un des plus beaux fleuves du monde.

Ma demeure est vaste, peinte en blanc à l'extérieur, jolie, ancienne, au milieu d'un grand jardin planté d'arbres magnifiques et qui monte jusqu'à la forêt, en escaladant les énormes rochers dont je vous parlais tout à l'heure.

Mon personnel se compose, ou plutôt se composait d'un cocher, d'un jardinier, un valet de chambre, une cuisinière et une lingère qui était en même temps une espèce de femme de charge. Tout ce monde habitait chez moi depuis dix à seize ans, me connaissait, connaissait ma demeure, le pays, tout l'entourage de ma vie. C'étaient de bons et tranquilles serviteurs. Cela importe pour ce que je vais dire.

J'ajoute que la Seine, qui longe mon jardin, est navigable jusqu'à Rouen, comme vous le savez sans doute ; et que je voyais passer chaque jour de grands navires soit à voiles, soit à vapeur, venant de tous les coins du monde.

Donc, il y a eu un an l'automne dernier, je fus pris tout à coup de malaises bizarres et inexplicables. Ce fut d'abord une sorte d'inquiétude nerveuse qui me tenait en éveil des nuits entières, une telle surexcitation que le moindre bruit me faisait tressaillir. Mon humeur s'aigrit. J'avais des colères subites inexplicables. J'appelai un médecin qui m'ordonna du bromure de potassium et des douches.

Je me fis donc doucher matin et soir, et je me mis à boire du bromure. Bientôt, en effet, je recommençai à dormir, mais d'un sommeil plus affreux que l'insomnie. A peine couché, je fermais les yeux et m'anéantissais. Oui, je tombais dans le néant, dans un néant absolu, dans une mort de l'être entier dont j'étais tiré brusquement, horriblement, par l'épouvantable sensation d'un poids écrasant sur ma poitrine, et d'une bouche qui mangeait ma vie, sur ma bouche. Oh ! ces secousses-là ! je ne sais rien de plus épouvantable.

Figurez-vous un homme qui dort, qu'on assassine, et qui se réveille avec un couteau dans la gorge ; et qui râle couvert de sang, et qui ne peut plus respirer, et qui va mourir, et qui ne comprend pas – voilà !

Je maigrissais d'une façon inquiétante, continue ; et je m'aperçus soudain que mon cocher, qui était fort gros, commençait à maigrir comme moi.

Je lui demandai enfin :

— Qu'avez-vous donc, Jean ? Vous êtes malade.

Il répondit :

— Je crois bien que j'ai gagné la même maladie que Monsieur. C'est mes nuits qui perdent mes jours.

Je pensai donc qu'il y avait dans la maison une influence fiévreuse due au voisinage du fleuve et j'allais m'en aller pour deux ou trois mois, bien que nous fussions en pleine saison de chasse, quand un petit fait très bizarre, observé par hasard, amena pour moi une telle suite de découvertes invraisemblables, fantastiques, effrayantes, que je restai.

Ayant soif un soir, je bus un demi-verre d'eau et je remarquai que ma carafe, posée sur la commode en face de mon lit, était pleine jusqu'au bouchon de cristal.

J'eus, pendant la nuit, un de ces sommeils affreux dont je viens de vous parler. J'allumai ma bougie, en proie à une épouvantable angoisse, et, comme je voulus boire de nouveau, je m'aperçus avec stupeur que ma carafe était vide. Je n'en pouvais croire mes yeux. Ou bien on était entré dans ma chambre, ou bien j'étais somnambule.

Le soir suivant, je voulus faire la même épreuve. Je fermai donc ma porte à clef pour être certain que personne ne pourrait pénétrer chez moi. Je m'endormis et me réveillai comme chaque nuit. On avait bu toute l'eau que j'avais vue deux heures plus tôt.

Qui avait bu cette eau ? Moi, sans doute, et pourtant je me croyais sûr, absolument sûr, de n'avoir pas fait un mouvement dans mon sommeil profond et douloureux.

Alors j'eus recours à des ruses pour me convaincre que je n'accomplissais point ces actes inconscients. Je plaçai un soir, à côté de la carafe, une bouteille de vieux bordeaux, une tasse de lait dont j'ai horreur, et des gâteaux au chocolat que j'adore.

Le vin et les gâteaux demeurèrent intacts. Le lait et l'eau disparurent. Alors, chaque jour, je changeai les boissons et les nourritures. Jamais *on* ne toucha aux choses solides, compactes, et *on* ne but, en fait de liquide, que du laitage frais et de l'eau surtout.

Mais ce doute poignant restait dans mon âme. N'était-ce pas moi qui me levais sans en avoir conscience, et qui buvais même les choses détestées, car mes sens engourdis par le sommeil somnambulique pouvaient être modifiés, avoir perdu leurs répugnances ordinaires et acquis des goûts différents ?

Je me servis alors d'une ruse nouvelle contre moi-même. J'enveloppai tous les objets auxquels il fallait infailliblement toucher avec des bandelettes de mousseline blanche et je les recouvris encore avec une serviette de batiste.

Puis, au moment de me mettre au lit, je me barbouillai les mains, les lèvres et les moustaches avec de la mine de plomb.

A mon réveil, tous les objets étaient demeurés immaculés bien qu'on y eût touché, car la serviette n'était point posée comme je l'avais mise ; et, de plus, on avait bu de l'eau et du lait. Or ma porte fermée avec une clef de sûreté et mes volets cadenassés n'avaient pu laisser pénétrer personne.

Alors, je me posai cette redoutable question : Qui donc était là, toutes les nuits, près de moi ?

Je sens, messieurs, que je vous raconte cela trop vite. Vous souriez, votre opinion est déjà faite : "C'est un fou." J'aurais dû vous décrire longuement cette émotion d'un homme qui, enfermé chez lui, l'esprit sain, regarde, à travers le verre d'une carafe, un peu d'eau disparue pendant qu'il a dormi. J'aurais dû vous faire comprendre cette torture renouvelée chaque soir et chaque matin, et cet invincible sommeil, et ces réveils plus épouvantables encore.

Mais je continue.

Tout à coup le miracle cessa. *On* ne touchait plus à rien dans ma chambre. C'était fini. J'allais mieux, d'ailleurs. La gaieté me revenait, quand j'appris qu'un de mes voisins, M. Legite, se trouvait exactement dans l'état où j'avais été moi-même. Je crus de nouveau à une influence fiévreuse dans le pays. Mon cocher m'avait quitté depuis un mois, fort malade.

L'hiver était passé, le printemps commençait. Or, un matin, comme je me promenais près de mon parterre de rosiers, je vis, je vis distinctement, tout près de moi, la tige d'une des plus belles roses se casser comme si une main invisible l'eût cueillie ; puis la fleur suivit la courbe qu'aurait décrite un bras en la portant vers une bouche, et resta suspendue dans l'air transparent, toute seule, immobile, effrayante, à trois pas de mes yeux.

Saisi d'une épouvante folle, je me jetai sur elle pour la saisir. Je ne trouvai rien. Elle avait disparu. Alors, je fus pris d'une colère furieuse contre moi-même. Il n'est pas permis à un homme raisonnable et sérieux d'avoir de pareilles hallucinations !

Mais était-ce bien une hallucination ? Je cherchai la tige. Je la retrouvai immédiatement sur l'arbuste,

fraîchement cassée, entre deux autres roses demeurées sur la branche ; car elles étaient trois que j'avais
vues parfaitement.

Alors je rentrai chez moi, l'âme bouleversée.
Messieurs, écoutez-moi, je suis calme ; je ne croyais
pas au surnaturel, je n'y crois pas même aujour-
d'hui ; mais, à partir de ce moment-là, je fus certain,
certain comme du jour et de la nuit, qu'il existait
près de moi un être invisible qui m'avait hanté, puis
m'avait quitté, et qui revenait.

Un peu plus tard j'en eus la preuve.

Entre mes domestiques d'abord éclataient tous
les jours des querelles furieuses pour mille causes
futiles en apparence, mais pleines de sens pour moi
désormais.

Un verre, un beau verre de Venise, se brisa tout
seul, sur le dressoir de ma salle à manger, en plein
jour.

Le valet de chambre accusa la cuisinière, qui
accusa la lingère, qui accusa je ne sais qui.

Des portes fermées le soir étaient ouvertes le
matin. On volait du lait, chaque nuit, dans l'office.
– Ah !

Quel était-il ? De quelle nature ? Une curiosité
énervée, mêlée de colère et d'épouvante, me tenait
jour et nuit dans un état d'extrême agitation.

Mais la maison redevint calme encore une fois ;
et je croyais de nouveau à des rêves quand il se
passa la chose suivante :

C'était le 20 juillet, à neuf heures du soir. Il faisait très chaud ; j'avais laissé ma fenêtre toute grande

ouverte, ma lampe allumée sur ma table, éclairant un volume de Musset ouvert à la *Nuit de mai* ; et je m'étais étendu dans un grand fauteuil où je m'endormis.

Or, ayant dormi environ quarante minutes, je rouvris les yeux, sans faire un mouvement, réveillé par je ne sais quelle émotion confuse et bizarre. Je ne vis rien d'abord, puis tout à coup il me sembla qu'une page du livre venait de tourner toute seule. Aucun souffle d'air n'était entré par la fenêtre. Je fus surpris ; et j'attendis. Au bout de quatre minutes environ, je vis, je vis, oui, je vis, messieurs, de mes yeux, une autre page se soulever et se rabattre sur la précédente comme si un doigt l'eût feuilletée.

Mon fauteuil semblait vide, mais je compris qu'il était là, *lui* ! Je traversai ma chambre d'un bond pour le prendre, pour le toucher, pour le saisir, si cela se pouvait… Mais mon siège, avant que je l'eusse atteint, se renversa comme si on eût fui devant moi ; ma lampe aussi tomba et s'éteignit, le verre brisé ; et ma fenêtre, brusquement poussée comme si un malfaiteur l'eût saisie en se sauvant, alla frapper sur son arrêt… Ah !…

Je me jetai sur la sonnette et j'appelai. Quand mon valet de chambre parut, je lui dis :

— J'ai tout renversé et tout brisé. Donnez-moi de la lumière.

Je ne dormis plus cette nuit-là. Et cependant j'avais pu encore être le jouet d'une illusion. Au réveil les sens demeurent troubles. N'était-ce pas moi qui avais jeté bas mon fauteuil et ma lumière en me précipitant comme un fou ?

Non ce n'était pas moi ! Je le savais à n'en point douter une seconde. Et cependant je voulais croire.

Attendez. L'Etre ! Comment le nommerai-je ? L'Invisible. Non, cela ne suffit pas. Je l'ai baptisé le Horla. Pourquoi ? Je ne sais point. Donc le Horla ne me quittait plus guère. J'avais jour et nuit la sensation, la certitude de la présence de cet insaisissable voisin, et la certitude aussi qu'il prenait ma vie, heure par heure, minute par minute.

L'impossibilité de le voir m'exaspérait et j'allumais toutes les lumières de mon appartement, comme si j'eusse pu, dans cette clarté, le découvrir.

Je le vis, enfin.

Vous ne me croyez pas. Je l'ai vu cependant.

J'étais assis devant un livre quelconque, ne lisant pas, mais guettant, avec tous mes organes surexcités, guettant celui que je sentais près de moi. Certes, il était là. Mais où ? Que faisait-il ? Comment l'atteindre ?

En face de moi mon lit, un vieux lit de chêne à colonnes. A droite ma cheminée. A gauche ma porte que j'avais fermée avec soin. Derrière moi une très grande armoire à glace qui me servait chaque jour pour me raser, pour m'habiller, où j'avais coutume de me regarder de la tête aux pieds chaque fois que je passais devant.

Donc je faisais semblant de lire, pour le tromper, car il m'épiait lui aussi ; et soudain je sentis, je fus certain qu'il lisait par-dessus mon épaule, qu'il était là, frôlant mon oreille.

Je me dressai, en me tournant si vite que je faillis tomber. Eh bien !… On y voyait comme en plein jour… et je ne me vis pas dans la glace ! Elle était vide, claire, pleine de lumière. Mon image n'était pas dedans… Et j'étais en face… Je voyais le grand verre limpide du haut en bas ! Et je regardais cela avec des yeux affolés, et je n'osais plus avancer, sentant bien qu'il se trouvait entre nous, lui, et qu'il m'échapperait encore, mais que son corps imperceptible avait absorbé mon reflet.

Comme j'eus peur ! Puis voilà que tout à coup je commençai à m'apercevoir dans une brume au fond du miroir, dans une brume comme à travers une nappe d'eau ; et il me semblait que cette eau glissait de gauche à droite, lentement, rendant plus précise mon image de seconde en seconde. C'était comme la fin d'une éclipse. Ce qui me cachait ne paraissait point posséder de contours nettement arrêtés, mais une sorte de transparence opaque s'éclaircissant peu à peu.

Je pus enfin me distinguer complètement ainsi que je fais chaque jour en me regardant.

Je l'avais vu. L'épouvante m'en est restée qui me fait encore frissonner.

Le lendemain j'étais ici, où je priai qu'on me gardât.

Maintenant, messieurs, je conclus.

Le docteur Marrande, après avoir longtemps douté, se décida à faire, seul, un voyage dans mon pays.

Trois de mes voisins, à présent, sont atteints comme je l'étais. Est-ce vrai ?

Le médecin répondit : "C'est vrai."

Vous leur avez conseillé de laisser de l'eau et du lait chaque nuit dans leur chambre pour voir si ces liquides disparaîtraient. Ils l'ont fait. Ces liquides ont-ils disparu comme chez moi ?

Le médecin répondit avec une gravité solennelle : "Ils ont disparu."

Donc, messieurs, un Etre, un Etre nouveau, qui sans doute se multipliera bientôt comme nous nous sommes multipliés, vient d'apparaître sur la terre.

Ah ! Vous souriez ! Pourquoi ? Parce que cet Etre demeure invisible. Mais notre œil, messieurs, est un organe tellement élémentaire qu'il peut distinguer à peine ce qui est indispensable à notre existence. Ce qui est trop petit lui échappe, ce qui est trop grand lui échappe, ce qui est trop loin lui échappe. Il ignore les milliards de petites bêtes qui vivent dans une goutte d'eau. Il ignore les habitants, les plantes et le sol des étoiles voisines ; il ne voit pas même le transparent.

Placez devant lui une glace sans tain parfaite, il ne la distinguera pas et nous jettera dessus, comme l'oiseau pris dans une maison qui se casse la tête aux vitres. Donc, il ne voit pas les corps solides et transparents qui existent pourtant ; il ne voit pas l'air dont nous nous nourrissons, ne voit pas le vent qui est la plus grande force de la nature, qui renverse les hommes, abat les édifices, déracine les arbres, soulève la mer en montagnes d'eau qui font crouler les falaises de granit.

Quoi d'étonnant à ce qu'il ne voie pas un corps nouveau, à qui manque sans doute la seule propriété d'arrêter les rayons lumineux.

Apercevez-vous l'électricité ? Et cependant elle existe !

Cet être, que j'ai nommé le Horla, existe aussi.

Qui est-ce ? Messieurs, c'est celui que la terre attend, après l'homme ! Celui qui vient nous détrôner, nous asservir, nous dompter, et se nourrir de nous peut-être, comme nous nous nourrissons des bœufs et des sangliers.

Depuis des siècles, on le pressent, on le redoute et on l'annonce ! La peur de l'Invisible a toujours hanté nos pères.

Il est venu.

Toutes les légendes des fées, des gnomes, des rôdeurs de l'air insaisissables et malfaisants, c'était de lui qu'elles parlaient, de lui pressenti par l'homme inquiet et tremblant déjà.

Et tout ce que vous faites vous-mêmes, messieurs, depuis quelques ans, ce que vous appelez l'hypnotisme, la suggestion, le magnétisme – c'est lui que vous annoncez, que vous prophétisez !

Je vous dis qu'il est venu. Il rôde, inquiet lui-même comme les premiers hommes, ignorant encore sa force et sa puissance qu'il connaîtra bientôt, trop tôt.

Et voici, messieurs, pour finir, un fragment de journal qui m'est tombé sous la main et qui vient de

Rio de Janeiro. Je lis : "Une sorte d'épidémie de folie semble sévir depuis quelque temps dans la province de São Paulo. Les habitants de plusieurs villages se sont sauvés, abandonnant leurs terres et leurs maisons et se prétendent poursuivis et mangés par des vampires invisibles qui se nourrissent de leur souffle pendant leur sommeil et qui ne boiraient, en outre, que de l'eau, et quelquefois du lait !"

J'ajoute : Quelques jours avant la première atteinte du mal dont j'ai failli mourir, je me rappelle parfaitement avoir vu passer un grand trois-mâts brésilien avec son pavillon déployé… Je vous ai dit que ma maison est au bord de l'eau… Toute blanche… Il était caché sur ce bateau sans doute…

Je n'ai plus rien à ajouter, messieurs.

Le docteur Marrande se leva et murmura :

— Moi non plus. Je ne sais si cet homme est fou ou si nous le sommes tous les deux…, ou si… si notre successeur est réellement arrivé…

LE HORLA
1887

8 mai. – Quelle journée admirable ! J'ai passé toute la matinée étendu sur l'herbe, devant ma maison, sous l'énorme platane qui la couvre, l'abrite et l'ombrage tout entière. J'aime ce pays, et j'aime y vivre parce que j'y ai mes racines, ces profondes et délicates racines, qui attachent un homme à la terre où sont nés et morts ses aïeux, qui l'attachent à ce qu'on pense et à ce qu'on mange, aux usages comme aux nourritures, aux locutions locales, aux intonations des paysans, aux odeurs du sol, des villages et de l'air lui-même.

J'aime ma maison où j'ai grandi. De mes fenêtres je vois la Seine qui coule, le long de mon jardin, derrière la route, presque chez moi, la grande et large Seine, qui va de Rouen au Havre, couverte de bateaux qui passent.

A gauche, là-bas, la vaste ville aux toits bleus, sous le peuple pointu des clochers gothiques. Ils sont innombrables, frêles ou larges, dominés par la flèche de fonte de la cathédrale, et pleins de cloches qui sonnent dans l'air bleu des belles matinées, jetant jusqu'à moi leur doux et lointain bourdonnement de fer, leur chant d'airain que la brise m'apporte, tantôt plus fort et tantôt plus affaibli, suivant qu'elle s'éveille ou s'assoupit.

Comme il fait bon ce matin !

Vers onze heures, un long convoi de navires, traînés par un remorqueur, gros comme une mouche, et qui râlait de peine en vomissant une fumée épaisse, défila devant ma grille.

Après deux goélettes anglaises, dont le pavillon rouge ondoyait sur le ciel, venait un superbe trois-mâts brésilien, tout blanc, admirablement propre et luisant. Je le saluai, je ne sais pourquoi, tant ce navire me fit plaisir à voir.

12 mai. – J'ai un peu de fièvre depuis quelques jours ; je me sens souffrant, ou plutôt je me sens triste.

D'où viennent ces influences mystérieuses qui changent en découragement notre bonheur et notre confiance en détresse ? On dirait que l'air, l'air invisible est plein d'inconnaissables Puissances, dont nous subissons les voisinages mystérieux. Je m'éveille plein de gaieté, avec des envies de chanter dans la gorge. – Pourquoi ? – Je descends le long de l'eau ; et soudain, après une courte promenade, je rentre désolé, comme si quelque malheur m'attendait chez moi. – Pourquoi ? – Est-ce un frisson de froid qui, frôlant ma peau, a ébranlé mes nerfs et assombri mon âme ? Est-ce la forme des nuages, ou la couleur du jour, la couleur des choses, si variable, qui, passant par mes yeux, a troublé ma pensée ? Sait-on ? Tout ce qui nous entoure, tout ce que nous voyons sans le regarder, tout ce que nous frôlons sans le connaître, tout ce que nous touchons sans le palper, tout ce que nous rencontrons sans le distinguer, a sur nous, sur nos organes et, par eux, sur nos idées, sur notre cœur lui-même, des effets rapides, surprenants et inexplicables ?

Comme il est profond, ce mystère de l'Invisible ! Nous ne le pouvons sonder avec nos sens misérables, avec nos yeux qui ne savent apercevoir ni le trop petit, ni le trop grand, ni le trop près, ni le trop loin, ni les habitants d'une étoile, ni les habitants d'une goutte d'eau… avec nos oreilles qui nous trompent, car elles nous transmettent les vibrations de l'air en notes sonores. Elles sont des fées qui font ce miracle de changer en bruit ce mouvement et par cette métamorphose donnent naissance à la musique, qui rend chantante l'agitation muette de la nature… avec notre odorat, plus faible que celui du chien… avec notre goût, qui peut à peine discerner l'âge d'un vin !

Ah ! si nous avions d'autres organes qui accompliraient en notre faveur d'autres miracles, que de choses nous pourrions découvrir encore autour de nous !

16 mai. – Je suis malade, décidément ! Je me portais si bien le mois dernier ! J'ai la fièvre, une fièvre atroce, ou plutôt un énervement fiévreux, qui rend mon âme aussi souffrante que mon corps. J'ai sans cesse cette sensation affreuse d'un danger menaçant, cette appréhension d'un malheur qui vient ou de la mort qui approche, ce pressentiment qui est sans doute l'atteinte d'un mal encore inconnu, germant dans le sang et dans la chair.

18 mai. – Je viens d'aller consulter mon médecin, car je ne pouvais plus dormir. Il m'a trouvé le pouls rapide, l'œil dilaté, les nerfs vibrants, mais sans aucun symptôme alarmant. Je dois me soumettre aux douches et boire du bromure de potassium.

25 mai. – Aucun changement ! Mon état, vraiment, est bizarre. A mesure qu'approche le soir, une inquiétude incompréhensible m'envahit, comme si la nuit cachait pour moi une menace terrible. Je dîne vite, puis j'essaye de lire ; mais je ne comprends pas les mots ; je distingue à peine les lettres. Je marche alors dans mon salon de long en large, sous l'oppression d'une crainte confuse et irrésistible, la crainte du sommeil et la crainte du lit.

Vers dix heures, je monte dans ma chambre. A peine entré, je donne deux tours de clef, et je pousse les verrous ; j'ai peur… de quoi ? Je ne redoutais rien jusqu'ici… j'ouvre mes armoires, je regarde sous mon lit ; j'écoute… j'écoute… quoi ?… Est-ce étrange qu'un simple malaise, un trouble de la circulation peut-être, l'irritation d'un filet nerveux, un peu de congestion, une toute petite perturbation dans le fonctionnement si imparfait et si délicat de notre machine vivante, puisse faire un mélancolique du plus joyeux des hommes, et un poltron du plus brave ? Puis, je me couche, et j'attends le sommeil comme on attendrait le bourreau. Je l'attends avec l'épouvante de sa venue, et mon cœur bat, et mes jambes frémissent ; et tout mon corps tressaille dans la chaleur des draps, jusqu'au moment où je tombe tout à coup dans le repos, comme on tomberait pour s'y noyer, dans un gouffre d'eau stagnante. Je ne le sens pas venir, comme autrefois, ce sommeil perfide, caché près de moi, qui me guette, qui va me saisir par la tête, me fermer les yeux, m'anéantir.

Je dors – longtemps – deux ou trois heures – puis un rêve – non – un cauchemar m'étreint. Je sens bien que je suis couché et que je dors… je le sens et je le sais… et je sens aussi que quelqu'un s'approche de moi, me regarde, me palpe, monte sur mon lit, s'agenouille sur ma poitrine, me prend le cou entre ses mains et serre… serre… de toute sa force pour m'étrangler.

Moi, je me débats, lié par cette impuissance atroce qui nous paralyse dans les songes ; je veux crier – je ne peux pas ; je veux remuer – je ne peux pas ; j'essaye, avec des efforts affreux, en haletant, de me tourner, de rejeter cet être qui m'écrase et qui m'étouffe – je ne peux pas !

Et soudain, je m'éveille, affolé, couvert de sueur. J'allume une bougie. Je suis seul.

Après cette crise, qui se renouvelle toutes les nuits, je dors enfin, avec calme, jusqu'à l'aurore.

2 juin. – Mon état s'est encore aggravé. Qu'ai-je donc ? Le bromure n'y fait rien ; les douches n'y font rien. Tantôt, pour fatiguer mon corps, si las pourtant, j'allai faire un tour dans la forêt de Roumare. Je crus d'abord que l'air frais, léger et doux, plein d'odeur d'herbes et de feuilles, me versait aux veines un sang nouveau, au cœur une énergie nouvelle. Je pris une grande avenue de chasse, puis je tournai vers La Bouille, par une allée étroite, entre deux armées d'arbres démesurément hauts qui mettaient un toit vert, épais, presque noir, entre le ciel et moi.

Un frisson me saisit soudain, non pas un frisson de froid, mais un étrange frisson d'angoisse.

Je hâtai le pas, inquiet d'être seul dans ce bois, apeuré sans raison, stupidement, par la profonde solitude. Tout à coup, il me sembla que j'étais suivi, qu'on marchait sur mes talons, tout près, à me toucher.

Je me retournai brusquement. J'étais seul. Je ne vis derrière moi que la droite et large allée, vide, haute, redoutablement vide ; et de l'autre côté elle s'étendait aussi à perte de vue, toute pareille, effrayante.

Je fermai les yeux. Pourquoi ? Et je me mis à tourner sur un talon, très vite, comme une toupie. Je faillis tomber ; je rouvris les yeux ; les arbres dansaient, la terre flottait ; je dus m'asseoir. Puis, ah !

je ne savais plus par où j'étais venu ! Bizarre idée !
Bizarre ! Bizarre idée ! Je ne savais plus du tout. Je
partis par le côté qui se trouvait à ma droite, et je
revins dans l'avenue qui m'avait amené au milieu
de la forêt.

3 juin. – La nuit a été horrible. Je vais m'absen-
ter pendant quelques semaines. Un petit voyage,
sans doute, me remettra.

2 juillet. – Je rentre. Je suis guéri. J'ai fait d'ailleurs une excursion charmante. J'ai visité le Mont-
Saint-Michel que je ne connaissais pas.

Quelle vision, quand on arrive, comme moi à
Avranches, vers la fin du jour ! La ville est sur une
colline ; et on me conduisit dans le jardin public, au
bout de la cité. Je poussai un cri d'étonnement. Une
baie démesurée s'étendait devant moi, à perte de
vue, entre deux côtes écartées se perdant au loin dans
les brumes ; et au milieu de cette immense baie
jaune, sous un ciel d'or et de clarté, s'élevait, sombre
et pointu, un mont étrange, au milieu des sables. Le
soleil venait de disparaître, et sur l'horizon encore
flamboyant se dessinait le profil de ce fantastique
rocher qui porte sur son sommet un fantastique mo-
nument.

Dès l'aurore, j'allai vers lui. La mer était basse,
comme la veille au soir, et je regardais se dresser
devant moi, à mesure que j'approchais d'elle, la

43

surprenante abbaye. Après plusieurs heures de marche, j'atteignis l'énorme bloc de pierres qui porte la petite cité dominée par la grande église. Ayant gravi la rue étroite et rapide, j'entrai dans la plus admirable demeure gothique construite pour Dieu sur la terre, vaste comme une ville, pleine de salles basses écrasées sous des voûtes et de hautes galeries que soutiennent de frêles colonnes. J'entrai dans ce gigantesque bijou de granit, aussi léger qu'une dentelle, couvert de tours, de sveltes clochetons, où montent des escaliers tordus, et qui lancent dans le ciel bleu des jours, dans le ciel noir des nuits, leurs têtes bizarres hérissées de chimères, de diables, de bêtes fantastiques, de fleurs monstrueuses, et reliés l'un à l'autre par de fines arches ouvragées.

Quand je fus sur le sommet, je dis au moine qui m'accompagnait : "Mon père, comme vous devez être bien ici !"

Il répondit : "Il y a beaucoup de vent, monsieur" ; et nous nous mîmes à causer en regardant monter la mer, qui courait sur le sable et le couvrait d'une cuirasse d'acier.

Et le moine me conta des histoires, toutes les vieilles histoires de ce lieu, des légendes, toujours des légendes.

Une d'elles me frappa beaucoup. Les gens du pays, ceux du mont, prétendent qu'on entend parler la nuit dans les sables, puis qu'on entend bêler deux chèvres, l'une avec une voix forte, l'autre avec une voix faible. Les incrédules affirment que ce sont les cris des oiseaux de mer, qui ressemblent tantôt à des bêlements, et tantôt à des plaintes humaines ; mais les pêcheurs attardés jurent avoir rencontré, rôdant sur les dunes, entre deux marées, autour de la petite ville jetée ainsi loin du monde, un vieux berger, dont on ne voit jamais la tête couverte de son manteau, et qui conduit, en marchant devant eux, un bouc à figure d'homme et une chèvre à figure de femme, tous deux avec de longs cheveux blancs et parlant sans cesse, se querellant dans une langue inconnue, puis cessant soudain de crier pour bêler de toute leur force.

Je dis au moine : "Y croyez-vous ?"

Il murmura : "Je ne sais pas."

Je repris : "S'il existait sur la terre d'autres êtres que nous, comment ne les connaîtrions-nous point depuis longtemps ? Comment ne les auriez-vous pas vus, vous ? Comment ne les aurais-je pas vus, moi ?"

Il répondit : "Est-ce que nous voyons la cent millième partie de ce qui existe ? Tenez, voici le vent, qui est la plus grande force de la nature, qui renverse les hommes, abat les édifices, déracine les arbres, soulève la mer en montagnes d'eau, détruit les falaises, et jette aux brisants les grands navires, le vent qui tue, qui siffle, qui gémit, qui mugit – l'avez-vous vu, et pouvez-vous le voir ? Il existe, pourtant."

Je me tus devant ce simple raisonnement. Cet homme était un sage ou peut-être un sot. Je ne l'aurais pu affirmer au juste ; mais je me tus. Ce qu'il disait là, je l'avais pensé souvent.

3 juillet. – J'ai mal dormi ; certes, il y a ici une influence fiévreuse, car mon cocher souffre du même mal que moi. En rentrant hier, j'avais remarqué sa pâleur singulière. Je lui demandai :

— Qu'est-ce que vous avez, Jean ?

— J'ai que je ne peux plus me reposer, Monsieur, ce sont mes nuits qui mangent mes jours. Depuis le départ de Monsieur, cela me tient comme un sort.

Les autres domestiques vont bien cependant, mais j'ai grand-peur d'être repris, moi.

4 juillet. – Décidément, je suis repris. Mes cauchemars anciens reviennent. Cette nuit, j'ai senti quelqu'un accroupi sur moi, et qui, sa bouche sur la mienne, buvait ma vie entre mes lèvres. Oui, il la puisait dans ma gorge, comme aurait fait une sangsue. Puis il s'est levé, repu, et moi je me suis réveillé, tellement meurtri, brisé, anéanti, que je ne pouvais plus remuer. Si cela continue encore quelques jours, je repartirai certainement.

5 juillet. – Ai-je perdu la raison ? Ce qui s'est passé, ce que j'ai vu la nuit dernière est tellement étrange, que ma tête s'égare quand j'y songe !

Comme je le fais maintenant chaque soir, j'avais fermé ma porte à clef ; puis, ayant soif, je bus un demi-verre d'eau, et je remarquai par hasard que ma carafe était pleine jusqu'au bouchon de cristal.

Je me couchai ensuite et je tombai dans un de mes sommeils épouvantables, dont je fus tiré au bout de deux heures environ par une secousse plus affreuse encore.

Figurez-vous un homme qui dort, qu'on assassine, et qui se réveille avec un couteau dans le poumon, et qui râle, couvert de sang, et qui ne peut plus respirer, et qui va mourir, et qui ne comprend pas – voilà.

Ayant enfin reconquis ma raison, j'eus soif de nouveau ; j'allumai une bougie et j'allai vers la table où était posée ma carafe. Je la soulevai en la penchant sur mon verre ; rien ne coula. – Elle était vide ! Elle était vide complètement ! D'abord, je n'y compris rien ; puis, tout à coup, je ressentis une émotion si terrible que je dus m'asseoir, ou plutôt, que je tombai sur une chaise ! Puis, je me redressai d'un saut pour regarder autour de moi ! Puis je me rassis, éperdu d'étonnement et de peur, devant le cristal transparent ! Je le contemplais avec des yeux fixes, cherchant à deviner. Mes mains tremblaient ! On avait donc bu cette eau ? Qui ? Moi ? moi, sans doute ? Ce ne pouvait être que moi ! Alors, j'étais somnambule, je vivais, sans le savoir, de cette double vie mystérieuse qui fait douter s'il y a deux êtres en nous, ou si un être étranger, inconnaissable et invisible, anime, par moments, quand notre âme est engourdie, notre corps captif qui obéit à cet autre, comme à nous-mêmes, plus qu'à nous-mêmes.

Ah ! qui comprendra mon angoisse abominable ? Qui comprendra l'émotion d'un homme, sain d'esprit, bien éveillé, plein de raison, et qui regarde, épouvanté, à travers le verre d'une carafe, un peu d'eau disparue pendant qu'il a dormi ! Et je restai là jusqu'au jour, sans oser regagner mon lit.

6 juillet. – Je deviens fou. On a encore bu toute ma carafe cette nuit ; – ou plutôt, je l'ai bue !

Mais est-ce moi ? Est-ce moi ? Qui serait-ce ? Qui ? Oh ! mon Dieu ! Je deviens fou ! Qui me sauvera ?

10 juillet. – Je viens de faire des épreuves surprenantes.

Décidément, je suis fou ! Et pourtant.

Le 6 juillet, avant de me coucher, j'ai placé sur ma table du vin, du lait, de l'eau, du pain et des fraises.

On a bu – j'ai bu – toute l'eau, et un peu de lait. On n'a touché ni au vin ni aux fraises.

Le 7 juillet, j'ai renouvelé la même épreuve, qui a donné le même résultat.

Le 8 juillet, j'ai supprimé l'eau et le lait. On n'a touché à rien.

Le 9 juillet enfin, j'ai remis sur ma table l'eau et le lait seulement, en ayant soin d'envelopper les carafes en des linges de mousseline blanche et de ficeler les bouchons. Puis, j'ai frotté mes lèvres, ma barbe, mes mains avec de la mine de plomb, et je me suis couché.

48

L'invincible sommeil m'a saisi, suivi bientôt de l'atroce réveil. Je n'avais point remué ; mes draps eux-mêmes ne portaient pas de taches. Je m'élançai vers ma table. Les linges enfermant les bouteilles étaient demeurés immaculés. Je déliai les cordons, en palpitant de crainte. On avait bu toute l'eau ! On avait bu tout le lait ! Ah ! mon Dieu !…

Je vais partir tout à l'heure pour Paris.

12 juillet. – Paris. J'avais donc perdu la tête les jours derniers ! J'ai dû être le jouet de mon imagination énervée, à moins que je ne sois vraiment somnambule, ou que j'aie subi une de ces influences constatées, mais inexplicables jusqu'ici, qu'on appelle suggestions. En tout cas, mon affolement touchait à la démence, et vingt-quatre heures de Paris ont suffi pour me remettre d'aplomb.

Hier, après des courses et des visites, qui m'ont fait passer dans l'âme de l'air nouveau et vivifiant, j'ai fini ma soirée au Théâtre-Français. On y jouait une pièce d'Alexandre Dumas fils ; et cet esprit alerte et puissant a achevé de me guérir. Certes, la solitude est dangereuse pour les intelligences qui travaillent. Il nous faut autour de nous des hommes qui pensent et qui parlent. Quand nous sommes seuls longtemps, nous peuplons le vide de fantômes.

Je suis rentré à l'hôtel très gai, par les boulevards. Au coudoiement de la foule, je songeais, non sans ironie, à mes terreurs, à mes suppositions de l'autre semaine, car j'ai cru, oui, j'ai cru qu'un être invisible habitait sous mon toit. Comme notre tête est faible et s'effare, et s'égare vite, dès qu'un petit fait incompréhensible nous frappe !

Au lieu de conclure par ces simples mots : "Je ne comprends pas parce que la cause m'échappe", nous imaginons aussitôt des mystères effrayants et des puissances surnaturelles.

14 juillet. – Fête de la République. Je me suis promené par les rues. Les pétards et les drapeaux m'amusaient comme un enfant. C'est pourtant fort bête d'être joyeux, à date fixe, par décret du gouvernement. Le peuple est un troupeau imbécile, tantôt stupidement patient et tantôt férocement révolté. On lui dit : "Amuse-toi." Il s'amuse. On lui dit : "Va te battre avec le voisin." Il va se battre. On lui dit : "Vote pour l'empereur." Il vote pour l'empereur. Puis, on lui dit : "Vote pour la République." Et il vote pour la République.

Ceux qui le dirigent sont aussi sots ; mais au lieu d'obéir à des hommes, ils obéissent à des principes, lesquels ne peuvent être que niais, stériles et faux, par cela même qu'ils sont des principes, c'est-à-dire des idées réputées certaines et immuables, en ce monde où l'on n'est sûr de rien, puisque la lumière est une illusion, puisque le bruit est une illusion.

16 juillet. – J'ai vu hier des choses qui m'ont beaucoup troublé.

Je dînais chez ma cousine, Mme Sablé, dont le mari commande le 76ᵉ chasseurs à Limoges. Je me trouvais chez elle avec deux jeunes femmes, dont l'une a épousé un médecin, le docteur Parent, qui s'occupe beaucoup de maladies nerveuses et des manifestations extraordinaires auxquelles donnent lieu en ce moment les expériences sur l'hypnotisme et la suggestion.

Il nous raconta longtemps les résultats prodigieux obtenus par des savants anglais et par les médecins de l'école de Nancy.

Les faits qu'il avança me parurent tellement bizarres que je me déclarai tout à fait incrédule.

— Nous sommes, affirmait-il, sur le point de découvrir un des plus importants secrets de la nature, je veux dire un des plus importants secrets sur cette terre ; car elle en a certes d'autrement importants, là-bas, dans les étoiles. Depuis que l'homme pense, depuis qu'il sait dire et écrire sa pensée, il se sent frôlé par un mystère impénétrable pour ses sens grossiers et imparfaits, et il tâche de suppléer, par l'effort de son intelligence, à l'impuissance de ses organes. Quand cette intelligence demeurait encore à l'état rudimentaire, cette hantise des phénomènes invisibles a pris des formes banalement effrayantes. De là sont nées les croyances populaires au surnaturel, les légendes des esprits rôdeurs, des fées, des gnomes, des revenants, je dirai même la légende de Dieu, car nos conceptions de l'ouvrier-créateur, de quelque religion qu'elles nous viennent, sont bien les inventions les plus médiocres, les plus stupides, les plus inacceptables sorties du cerveau apeuré des créatures. Rien de plus vrai que cette parole de Voltaire : "Dieu a fait l'homme à son image, mais l'homme le lui a bien rendu."

Mais, depuis un peu plus d'un siècle, on semble pressentir quelque chose de nouveau. Mesmer et quelques autres nous ont mis sur une voie inattendue, et nous sommes arrivés vraiment, depuis quatre ou cinq ans surtout, à des résultats surprenants.

Ma cousine, très incrédule aussi, souriait. Le docteur Parent lui dit :

— Voulez-vous que j'essaie de vous endormir, madame ?

— Oui, je veux bien.

Elle s'assit dans un fauteuil et il commença à la regarder fixement en la fascinant. Moi, je me sentis soudain un peu troublé, le cœur battant, la gorge serrée. Je voyais les yeux de Mme Sablé s'alourdir, sa bouche se crisper, sa poitrine haleter.

Au bout de dix minutes, elle dormait.

— Mettez-vous derrière elle, dit le médecin.

Et je m'assis derrière elle. Il lui plaça entre les mains une carte de visite en lui disant :

— Ceci est un miroir ; que voyez-vous dedans ?

— Je vois mon cousin.

— Que fait-il ?

— Il se tord la moustache.

— Et maintenant ?

— Il tire de sa poche une photographie.

— Quelle est cette photographie ?

— La sienne.

C'était vrai ! Et cette photographie venait de m'être livrée, le soir même, à l'hôtel.

— Comment est-il sur ce portrait ?

— Il se tient debout avec son chapeau à la main.

Donc elle voyait dans cette carte, dans ce carton blanc, comme elle eût vu dans une glace.

Les jeunes femmes, épouvantées, disaient : "Assez ! Assez ! Assez !"

Mais le docteur ordonna : "Vous vous lèverez demain à huit heures ; puis vous irez trouver à son hôtel votre cousin, et vous le supplierez de vous prêter cinq mille francs que votre mari vous demande et qu'il vous réclamera à son prochain voyage."

Puis il la réveilla.

En rentrant à l'hôtel, je songeais à cette curieuse séance et des doutes m'assaillirent, non point sur l'absolue, sur l'insoupçonnable bonne foi de ma cousine, que je connaissais comme une sœur, depuis l'enfance, mais sur une supercherie possible du docteur. Ne dissimulait-il pas dans sa main une glace qu'il montrait à la jeune femme endormie, en même temps que sa carte de visite ? Les prestidigitateurs de profession font des choses autrement singulières.

Je rentrai donc et me couchai.

Or, ce matin, vers huit heures et demie, je fus réveillé par mon valet de chambre, qui me dit :

— C'est Mme Sablé qui demande à parler à Monsieur tout de suite.

Je m'habillai à la hâte et je la reçus.

Elle s'assit fort troublée, les yeux baissés, et, sans lever son voile, elle me dit :

— Mon cher cousin, j'ai un gros service à vous demander.

— Lequel, ma cousine ?

— Cela me gêne beaucoup de vous le dire, et pourtant, il le faut. J'ai besoin, absolument besoin, de cinq mille francs.

— Allons donc, vous ?

— Oui, moi, ou plutôt mon mari, qui me charge de les trouver.

J'étais tellement stupéfait que je balbutiai mes réponses. Je me demandais si vraiment elle ne s'était pas moquée de moi avec le docteur Parent, si ce n'était pas là une simple farce préparée d'avance et fort bien jouée.

Mais, en la regardant avec attention, tous mes doutes se dissipèrent. Elle tremblait d'angoisse, tant cette démarche lui était douloureuse, et je compris qu'elle avait la gorge pleine de sanglots.

Je la savais fort riche et je repris :

— Comment ! Votre mari n'a pas cinq mille francs à sa disposition ? Voyons, réfléchissez. Etes-vous sûre qu'il vous a chargée de me les demander ?

Elle hésita quelques secondes, comme si elle eût fait un grand effort pour chercher dans son souvenir, puis elle répondit :

— Oui…, oui… j'en suis sûre.

— Il vous a écrit ?

Elle hésita encore, réfléchissant. Je devinai le travail torturant de sa pensée. Elle ne savait pas.

Elle savait seulement qu'elle devait m'emprunter cinq mille francs pour son mari. Donc elle osa mentir.

— Oui, il m'a écrit.

— Quand donc ? Vous ne m'avez parlé de rien, hier.

— J'ai reçu sa lettre ce matin.

— Pouvez-vous me la montrer ?

— Non… non… non… elle contenait des choses intimes… trop personnelles… je l'ai… je l'ai brûlée.

— Alors, c'est que votre mari fait des dettes.

Elle hésita encore, puis murmura :

— Je ne sais pas.

Je déclarai brusquement :

— C'est que je ne puis disposer de cinq mille francs en ce moment, ma chère cousine.

Elle poussa une sorte de cri de souffrance.

— Oh ! oh ! je vous en prie, je vous en prie, trouvez-les…

Elle s'exaltait, joignait les mains comme si elle m'eût prié ! J'entendais sa voix changer de ton ; elle pleurait et bégayait, harcelée, dominée par l'ordre irrésistible qu'elle avait reçu.

— Oh ! oh ! je vous en supplie… si vous saviez comme je souffre… il me les faut aujourd'hui.

J'eus pitié d'elle.

— Vous les aurez tantôt, je vous le jure.

Elle s'écria :

— Oh ! merci ! merci ! Que vous êtes bon !

Je repris :

— Vous rappelez-vous ce qui s'est passé hier chez vous ?

— Oui.

— Vous rappelez-vous que le docteur Parent vous a endormie ?

— Oui.

— Eh bien, il vous a ordonné de venir m'emprunter ce matin cinq mille francs, et vous obéissez en ce moment à cette suggestion.

Elle réfléchit quelques secondes et répondit :

— Puisque c'est mon mari qui les demande.

Pendant une heure, j'essayai de la convaincre, mais je n'y pus parvenir.

Quand elle fut partie, je courus chez le docteur. Il allait sortir ; et il m'écouta en souriant. Puis il dit :

— Croyez-vous maintenant ?

— Oui, il le faut bien.

— Allons chez votre parente.

Elle sommeillait déjà sur une chaise longue, accablée de fatigue. Le médecin lui prit le pouls, la regarda quelque temps, une main levée vers ses yeux qu'elle ferma peu à peu sous l'effort insoutenable de cette puissance magnétique.

Quand elle fut endormie :

— Votre mari n'a plus besoin de cinq mille francs. Vous allez donc oublier que vous avez prié votre cousin de vous les prêter, et, s'il vous parle de cela, vous ne comprendrez pas.

Puis il la réveilla. Je tirai de ma poche un portefeuille :

— Voilà, ma chère cousine, ce que vous m'avez demandé ce matin.

Elle fut tellement surprise que je n'osai pas insister. J'essayai cependant de ranimer sa mémoire, mais elle nia avec force, crut que je me moquais d'elle, et faillit, à la fin, se fâcher.

....

Voilà ! Je viens de rentrer ; et je n'ai pu déjeuner, tant cette expérience m'a bouleversé.

19 juillet. – Beaucoup de personnes à qui j'ai raconté cette aventure se sont moquées de moi. Je ne sais plus que penser. Le sage dit : Peut-être ?

21 juillet. – J'ai été dîner à Bougival, puis j'ai passé la soirée au bal des canotiers. Décidément, tout dépend des lieux et des milieux. Croire au surnaturel dans l'île de la Grenouillère serait le comble de la folie… mais au sommet du Mont-Saint-Michel ?… mais dans les Indes ? Nous subissons effroyablement l'influence de ce qui nous entoure. Je rentrerai chez moi la semaine prochaine.

30 juillet. – Je suis revenu dans ma maison depuis hier. Tout va bien.

2 août. – Rien de nouveau ; il fait un temps superbe. Je passe mes journées à regarder couler la Seine.

4 août. – Querelles parmi mes domestiques. Ils prétendent qu'on casse les verres, la nuit, dans les armoires. Le valet de chambre accuse la cuisinière, qui accuse la lingère, qui accuse les deux autres. Quel est le coupable ? Bien fin qui le dirait !

6 août. – Cette fois, je ne suis pas fou. J'ai vu… j'ai vu… j'ai vu !… Je ne puis plus douter… J'ai vu !… J'ai encore froid jusque dans les ongles… J'ai encore peur jusque dans les moelles… J'ai vu !…

Je me promenais à deux heures, en plein soleil, dans mon parterre de rosiers… dans l'allée des rosiers d'automne qui commencent à fleurir.

Comme je m'arrêtais à regarder un *géant des batailles*, qui portait trois fleurs magnifiques, je vis, je vis distinctement, tout près de moi, la tige d'une de ces roses se plier, comme si une main invisible l'eût tordue, puis se casser, comme si cette main l'eût cueillie ! Puis la fleur s'éleva, suivant la courbe qu'aurait décrite un bras en la portant vers une bouche, et elle resta suspendue dans l'air transparent, toute seule, immobile, effrayante tache rouge à trois pas de mes yeux.

Eperdu, je me jetai sur elle pour la saisir ! Je ne trouvai rien ; elle avait disparu. Alors je fus pris d'une colère furieuse contre moi-même : car il n'est pas permis à un homme raisonnable et sérieux d'avoir de pareilles hallucinations.

Mais était-ce bien une hallucination ? Je me retournai pour chercher la tige, et je la retrouvai immédiatement sur l'arbuste, fraîchement brisée, entre les deux autres roses demeurées à la branche.

Alors je rentrai chez moi l'âme bouleversée ; car je suis certain, maintenant, certain comme de l'alternance des jours et des nuits, qu'il existe près de moi un être invisible, qui se nourrit de lait et d'eau, qui peut toucher aux choses, les prendre et les changer de place, doué par conséquent d'une nature matérielle, bien qu'imperceptible pour nos sens, et qui habite comme moi, sous mon toit…

7 août. – J'ai dormi tranquille. Il a bu l'eau de ma carafe, mais n'a point troublé mon sommeil.

Je me demande si je suis fou. En me promenant, tantôt au grand soleil, le long de la rivière, des doutes me sont venus sur ma raison, non point des doutes vagues comme j'en avais jusqu'ici, mais des doutes précis, absolus. J'ai vu des fous ; j'en ai connu qui restaient intelligents, lucides, clairvoyants même sur toutes les choses de la vie, sauf sur un point. Ils parlaient de tout avec clarté, avec souplesse, avec profondeur, et soudain leur pensée, touchant l'écueil de leur folie, s'y déchirait en pièces, s'éparpillait et sombrait dans cet océan effrayant et furieux, plein de vagues bondissantes, de brouillards, de bourrasques, qu'on nomme "la démence".

Certes, je me croirais fou, absolument fou, si je n'étais conscient, si je ne connaissais parfaitement mon état, si je ne le sondais en l'analysant avec une complète lucidité. Je ne serais donc, en somme, qu'un halluciné raisonnant. Un trouble inconnu se serait produit dans mon cerveau, un de ces troubles qu'essayent de noter et de préciser aujourd'hui les physiologistes ; et ce trouble aurait déterminé dans mon esprit, dans l'ordre et la logique de mes idées, une crevasse profonde. Des phénomènes semblables ont lieu dans le rêve qui nous promène à travers les fantasmagories les plus invraisemblables, sans que nous en soyons surpris, parce que l'appareil vérificateur, parce que le sens du contrôle est endormi, tandis que la faculté imaginative veille et travaille. Ne se peut-il pas qu'une des imperceptibles touches du clavier cérébral se trouve paralysée chez moi ? Des hommes, à la suite d'accidents, perdent la mémoire des noms propres ou des verbes ou des chiffres, ou seulement des dates. Les localisations de toutes les parcelles de la pensée sont aujourd'hui prouvées. Or, quoi d'étonnant à ce que ma faculté de contrôler l'irréalité de certaines hallucinations se trouve engourdie chez moi en ce moment ?

Je songeais à tout cela en suivant le bord de l'eau. Le soleil couvrait de clarté la rivière, faisait la terre délicieuse, emplissait mon regard d'amour pour la vie, pour les hirondelles, dont l'agilité est une joie de mes yeux, pour les herbes de la rive, dont le frémissement est un bonheur de mes oreilles.

Peu à peu, cependant, un malaise inexplicable me pénétrait. Une force, me semblait-il, une force occulte m'engourdissait, m'arrêtait, m'empêchait d'aller plus loin, me rappelait en arrière. J'éprouvais ce besoin douloureux de rentrer qui vous oppresse, quand on a laissé au logis un malade aimé, et que le pressentiment vous saisit d'une aggravation de son mal.

Donc, je revins malgré moi, sûr que j'allais trouver, dans ma maison, une mauvaise nouvelle, une lettre ou une dépêche. Il n'y avait rien ; et je demeurai plus surpris et plus inquiet que si j'avais eu de nouveau quelque vision fantastique.

8 août. – J'ai passé hier une affreuse soirée. Il ne se manifeste plus, mais je le sens près de moi, m'épiant, me regardant, me pénétrant, me dominant et plus redoutable, en se cachant ainsi, que s'il signalait par des phénomènes surnaturels sa présence invisible et constante.

J'ai dormi, pourtant.

9 août. – Rien ; mais j'ai peur.

10 août. – Rien ; qu'arrivera-t-il demain ?

11 août. – Toujours rien ; je ne puis plus rester chez moi avec cette crainte et cette pensée entrées en mon âme ; je vais partir.

12 août, 10 heures du soir. – Tout le jour j'ai voulu m'en aller ; je n'ai pas pu. J'ai voulu accomplir cet acte de liberté si facile, si simple – sortir –, monter dans ma voiture pour gagner Rouen. Je n'ai pas pu. Pourquoi ?

13 août. – Quand on est atteint par certaines maladies, tous les ressorts de l'être physique semblent brisés, toutes les énergies anéanties, tous les muscles relâchés, les os devenus mous comme la chair et la chair liquide comme de l'eau. J'éprouve cela dans mon être moral d'une façon étrange et désolante. Je n'ai plus aucune force, aucun courage, aucune domination sur moi, aucun pouvoir même de mettre en mouvement ma volonté. Je ne peux plus vouloir, mais quelqu'un veut pour moi, et j'obéis.

14 août. – Je suis perdu ! Quelqu'un possède mon âme et la gouverne ! Quelqu'un ordonne tous mes actes, tous mes mouvements, toutes mes pensées. Je ne suis plus rien en moi, rien qu'un spectateur esclave et terrifié de toutes les choses que j'accomplis. Je désire sortir. Je ne peux pas. Il ne veut pas, et je reste, éperdu, tremblant, dans le fauteuil où il me tient assis. Je désire seulement me lever, me soulever, afin de me croire maître de moi. Je ne peux pas ! Je suis rivé à mon siège ; et mon siège adhère au sol, de telle sorte qu'aucune force ne nous soulèverait.

Puis, tout d'un coup, il faut, il faut, il faut que j'aille au fond de mon jardin cueillir des fraises et les manger. Et j'y vais. Je cueille des fraises et je les mange ! Oh ! mon Dieu ! Mon Dieu ! Mon Dieu ! Est-il un Dieu ? S'il en est un, délivrez-moi, sauvez-moi ! secourez-moi ! Pardon ! Pitié ! Grâce ! Sauvez-moi ! Oh ! quelle souffrance ! Quelle torture ! Quelle horreur !

15 août. – Certes, voilà comment était possédée et dominée ma pauvre cousine, quand elle est venue m'emprunter cinq mille francs. Elle subissait un vouloir étranger entré en elle, comme une autre âme, comme une autre âme parasite et dominatrice. Est-ce que le monde va finir ?

Mais celui qui me gouverne, quel est-il ? cet invisible ? cet inconnaissable, ce rôdeur d'une race surnaturelle ?

Donc les Invisibles existent ! Alors, comment depuis l'origine du monde ne se sont-ils pas encore manifestés d'une façon précise comme ils le font pour moi ? Je n'ai jamais rien lu qui ressemble à ce qui s'est passé dans ma demeure. Oh ! si je pouvais la quitter, si je pouvais m'en aller, fuir et ne pas revenir. Je serais sauvé, mais je ne peux pas.

16 août. – J'ai pu m'échapper aujourd'hui pendant deux heures, comme un prisonnier qui trouve ouverte, par hasard, la porte de son cachot. J'ai senti que j'étais libre tout à coup et qu'il était loin. J'ai ordonné d'atteler bien vite et j'ai gagné Rouen.

Oh ! quelle joie de pouvoir dire à un homme qui obéit : "Allez à Rouen !"

Je me suis fait arrêter devant la bibliothèque et j'ai prié qu'on me prêtât le grand traité du docteur Hermann Herestrauss sur les habitants inconnus du monde antique et moderne.

Puis, au moment de remonter dans mon coupé, j'ai voulu dire : "A la gare !" et j'ai crié – je n'ai pas dit, j'ai crié –, d'une voix si forte que les passants se sont retournés : "A la maison", et je suis tombé, affolé d'angoisse, sur le coussin de ma voiture. Il m'avait retrouvé et repris.

17 août. – Ah ! Quelle nuit ! quelle nuit ! Et pourtant il me semble que je devrais me réjouir. Jusqu'à une heure du matin, j'ai lu ! Hermann Herestrauss, docteur en philosophie et en théogonie, a écrit l'histoire et les manifestations de tous les êtres invisibles rôdant autour de l'homme ou rêvés par lui. Il décrit leurs origines, leur domaine, leur puissance. Mais aucun d'eux ne ressemble à celui qui me hante. On dirait que l'homme, depuis qu'il pense, a pressenti et redouté un être nouveau, plus fort que lui, son successeur en ce monde, et que, le sentant proche et ne pouvant prévoir la nature de ce maître, il a créé, dans sa terreur, tout le peuple fantastique des êtres occultes, fantômes vagues nés de la peur.

Donc, ayant lu jusqu'à une heure du matin, j'ai été m'asseoir ensuite auprès de ma fenêtre ouverte pour rafraîchir mon front et ma pensée au vent calme de l'obscurité.

Il faisait bon, il faisait tiède ! Comme j'aurais aimé cette nuit-là autrefois !

Pas de lune. Les étoiles avaient au fond du ciel noir des scintillements frémissants. Qui habite ces mondes ? Quelles formes, quels vivants, quels animaux, quelles plantes sont là-bas ? Ceux qui pensent dans ces univers lointains, que savent-ils plus que nous ? Que peuvent-ils plus que nous ? Que voient-ils que nous ne connaissons point ? Un d'eux, un jour ou l'autre, traversant l'espace, n'apparaîtra-t-il pas sur notre terre pour la conquérir, comme les Normands jadis traversaient la mer pour asservir les peuples plus faibles ?

Nous sommes si infirmes, si désarmés, si ignorants, si petits, nous autres, sur ce grain de boue qui tourne délayé dans une goutte d'eau.

Je m'assoupis en rêvant ainsi au vent frais du soir.

Or, ayant dormi environ quarante minutes, je rouvris les yeux sans faire un mouvement, réveillé par je ne sais quelle émotion confuse et bizarre. Je ne vis rien d'abord, puis, tout à coup, il me sembla qu'une page du livre resté ouvert sur ma table venait de tourner toute seule. Aucun souffle d'air n'était entré par la fenêtre. Je fus surpris et j'attendis. Au bout de quarante minutes environ, je vis, je vis, oui, je vis de mes yeux une autre page se soulever et se rabattre sur la précédente, comme si un doigt l'eût feuilletée. Mon fauteuil était vide, semblait vide ; mais je compris qu'il était là, lui, assis à ma place, et qu'il lisait.

D'un bond furieux, d'un bond de bête révoltée, qui va éventrer son dompteur, je traversai ma chambre pour le saisir, pour l'étreindre, pour le tuer !... Mais mon siège, avant que je l'eusse atteint, se renversa comme si on eût fui devant moi... Ma table oscilla, ma lampe tomba et s'éteignit, et ma fenêtre se ferma comme si un malfaiteur surpris se fût élancé dans la nuit, en prenant à pleines mains les battants.

Donc, il s'était sauvé ; il avait eu peur de moi, lui !

Alors... alors... demain... ou après... ou un jour quelconque, je pourrai donc le tenir sous mes poings, et l'écraser contre le sol ! Est-ce que les chiens, quelquefois, ne mordent point et n'étranglent pas leurs maîtres ?

18 août. – J'ai songé toute la journée. Oh ! oui, je vais lui obéir, suivre ses impulsions, accomplir toutes ses volontés, me faire humble, soumis, lâche. Il est le plus fort. Mais une heure viendra...

19 août. – Je sais... Je sais... je sais tout ! Je viens de lire ceci dans la *Revue du monde scientifique* : "Une nouvelle assez curieuse nous arrive de Rio de Janeiro. Une folie, une épidémie de folie, comparable aux démences contagieuses qui atteignirent les peuples d'Europe au Moyen Age, sévit en ce moment dans la province de São Paulo. Les habitants éperdus quittent leurs maisons, désertent leurs villages, abandonnent leurs cultures, se disant poursuivis, possédés, gouvernés comme un bétail humain par des êtres invisibles bien que tangibles, des sortes de vampires qui se nourrissent de leur vie pendant leur sommeil, et qui boivent en outre de l'eau et du lait sans paraître toucher à aucun autre aliment.

M. le professeur Don Pedro Henriquez, accompagné de plusieurs savants médecins, est parti pour la province de São Paulo, afin d'étudier sur place les origines et les manifestations de cette surprenante folie, et de proposer à l'empereur les mesures qui lui paraîtront les plus propres à rappeler à la raison ces populations en délire."

Ah ! Ah ! je me rappelle, je me rappelle le beau trois-mâts brésilien qui passa sous mes fenêtres en remontant la Seine, le 8 mai dernier ! Je le trouvai si joli, si blanc, si gai ! L'Etre était dessus, venant de là-bas, où sa race était née ! Et il m'a vu ! Il a vu ma demeure blanche aussi ; et il a sauté du navire sur la rive. Oh ! mon Dieu !

A présent, je sais, je devine. Le règne de l'homme est fini.

Il est venu. Celui que redoutaient les premières terreurs des peuples naïfs. Celui qu'exorcisaient les prêtres inquiets, que les sorciers évoquaient par les nuits sombres, sans le voir apparaître encore, à qui les pressentiments des maîtres passagers du monde prêtèrent toutes les formes monstrueuses ou gracieuses des gnomes, des esprits, des génies, des fées, des farfadets. Après les grossières conceptions de l'épouvante primitive, des hommes plus perspicaces l'ont pressenti plus clairement. Mesmer l'avait deviné, et les médecins, depuis dix ans déjà, ont découvert, d'une façon précise, la nature de sa puissance avant qu'il l'eût exercée lui-même. Ils ont joué avec cette arme du Seigneur nouveau, la domination d'un mystérieux vouloir sur l'âme humaine devenue esclave. Ils ont appelé cela magnétisme, hypnotisme, suggestion... que sais-je ? Je les ai vus s'amuser comme des enfants imprudents avec cette horrible puissance ! Malheur à nous ! Malheur à l'homme ! Il est venu, le... le... comment se nomme-t-il... le... il semble qu'il me crie son nom, et je ne l'entends pas... le... oui... il le crie... J'écoute... Je ne peux pas... répète... le... Horla... J'ai entendu... le Horla... c'est lui... le Horla... il est venu !

Ah ! le vautour a mangé la colombe ; le loup a mangé le mouton ; le lion a dévoré le buffle aux cornes aiguës ; l'homme a tué le lion avec la flèche, avec le glaive, avec la poudre ; mais le Horla va faire de l'homme ce que nous avons fait du cheval et du bœuf : sa chose, son serviteur et sa nourriture, par la seule puissance de sa volonté. Malheur à nous !

Pourtant l'animal, quelquefois, se révolte et tue celui qui l'a dompté... moi aussi je peux... je pourrai... mais il faut le connaître, le toucher, le voir ! Les savants disent que l'œil de la bête, différent du nôtre, ne distingue point comme le nôtre... Et mon œil à moi ne peut distinguer le nouveau venu qui m'opprime.

Pourquoi ? Oh ! je me rappelle à présent les paroles du moine du Mont-Saint-Michel : "Est-ce que nous voyons le cent millième de ce qui existe ?

Tenez, voici le vent qui est la plus grande force de la nature, qui renverse les hommes, abat les édifices, déracine les arbres, soulève la mer en montagnes d'eau, détruit les falaises et jette aux brisants les grands navires, le vent qui tue, qui siffle, qui gémit, qui mugit, l'avez-vous vu et pouvez-vous le voir : il existe pourtant !"

Et je songeais encore : mon œil est si faible, si imparfait, qu'il ne distingue même point les corps durs, s'ils sont transparents comme le verre !... Qu'une glace sans tain barre mon chemin, il me jette dessus comme l'oiseau entré dans une chambre se casse la tête aux vitres. Mille choses en outre le trompent et l'égarent. Quoi d'étonnant, alors, à ce qu'il ne sache point apercevoir un corps nouveau que la lumière traverse ?

Un être nouveau ! pourquoi pas ? Il devait venir assurément ! Pourquoi serions-nous les derniers ? Nous ne le distinguons point, ainsi que tous les autres créés avant nous ? C'est que sa nature est plus parfaite, son corps plus fin et plus fini que le nôtre, que le nôtre si faible, si maladroitement conçu, encombré d'organes toujours fatigués, toujours forcés comme des ressorts trop complexes, que le nôtre, qui vit comme une plante et comme une bête, en se nourrissant péniblement d'air, d'herbe et de viande, machine animale en proie aux maladies, aux déformations, aux putréfactions, poussive, mal réglée, naïve et bizarre, ingénieusement mal faite, œuvre grossière et délicate, ébauche d'être qui pourrait devenir intelligent et superbe.

Nous sommes quelques-uns, si peu sur ce monde, depuis l'huître jusqu'à l'homme. Pourquoi pas un de plus, une fois accomplie la période qui sépare les apparitions successives de toutes les espèces diverses ?

Pourquoi pas un de plus ? Pourquoi pas aussi d'autres arbres aux fleurs immenses, éclatantes et parfumant des régions entières ? Pourquoi pas d'autres éléments que le feu, l'air, la terre et l'eau ? – Ils sont quatre, rien que quatre, ces pères nourriciers des êtres ! Quelle pitié ! Pourquoi ne sont-ils pas quarante, quatre cents, quatre mille ? Comme tout est pauvre, mesquin, misérable ! avarement donné, sèchement inventé, lourdement fait ! Ah ! l'éléphant, l'hippopotame, que de grâce ! Le chameau, que d'élégance !

Me direz-vous, le papillon ! une fleur qui vole ! J'en rêve un qui serait grand comme cent univers, avec des ailes dont je ne puis même exprimer la forme, la beauté, la couleur et le mouvement. Mais je le vois… il va d'étoile en étoile, les rafraîchissant et les embaumant au souffle harmonieux et léger de sa course !… Et les peuples de là-haut le regardent passer, extasiés et ravis !…

....

Qu'ai-je donc ? C'est lui, lui, le Horla, qui me hante, qui me fait penser ces folies ! Il est en moi, il devient mon âme ; je le tuerai !

19 août. – Je le tuerai. Je l'ai vu ! Je me suis assis hier soir, à ma table ; et je fis semblant d'écrire avec une grande attention. Je savais bien qu'il viendrait rôder autour de moi, tout près, si près que je pourrais peut-être le toucher, le saisir ? Et alors ?... alors, j'aurais la force des désespérés ; j'aurais mes mains, mes genoux, ma poitrine, mon front, mes dents pour l'étrangler, l'écraser, le mordre, le déchirer.

Et je le guettais avec tous mes organes surexcités.

J'avais allumé mes deux lampes et les huit bougies de ma cheminée, comme si j'eusse pu, dans cette clarté, le découvrir.

En face de moi, mon lit, un vieux lit de chêne à colonnes ; à droite, ma cheminée ; à gauche, ma porte fermée avec soin, après l'avoir laissée longtemps ouverte, afin de l'attirer ; derrière moi, une très haute armoire à glace, qui me servait chaque jour pour me raser, pour m'habiller, et où j'avais coutume de me regarder, de la tête aux pieds, chaque fois que je passais devant.

Donc, je faisais semblant d'écrire, pour le tromper, car il m'épiait lui aussi ; et soudain, je sentis, je fus certain qu'il lisait par-dessus mon épaule, qu'il était là, frôlant mon oreille.

Je me dressai, les mains tendues, en me tournant si vite que je faillis tomber. Eh bien ?... on y voyait comme en plein jour, et je ne me vis pas dans ma glace !... Elle était vide, claire, profonde, pleine de lumière ! Mon image n'était pas dedans... et j'étais en face, moi ! Je voyais le grand verre limpide du

haut en bas. Et je regardais cela avec des yeux affolés ; et je n'osais plus avancer, je n'osais plus faire
un mouvement, sentant bien pourtant qu'il était là,
mais qu'il m'échapperait encore, lui dont le corps
imperceptible avait dévoré mon reflet.

Comme j'eus peur ! Puis voilà que tout à coup je
commençai à m'apercevoir dans une brume, au
fond du miroir, dans une brume comme à travers
une nappe d'eau ; et il me semblait que cette eau
glissait de gauche à droite, lentement, rendant plus
précise mon image, de seconde en seconde. C'était
comme la fin d'une éclipse. Ce qui me cachait ne
paraissait point posséder de contours nettement arrêtés, mais une sorte de transparence opaque, s'éclaircissant peu à peu.

Je pus enfin me distinguer complètement, ainsi
que je le fais chaque jour en me regardant.

Je l'avais vu ! L'épouvante m'en est restée, qui
me fait encore frissonner.

20 août. – Le tuer, comment ? Puisque je ne
peux l'atteindre ? Le poison ? Mais il me verrait le
mêler à l'eau ; et nos poisons, d'ailleurs, auraient-
ils un effet sur son corps imperceptible ? Non…
non… sans aucun doute… Alors ?… alors ?…

21 août. – J'ai fait venir un serrurier de Rouen,
et lui ai commandé pour ma chambre des per-
siennes de fer, comme en ont, à Paris, certains hôtels

particuliers, au rez-de-chaussée, par crainte des voleurs. Il me fera, en outre, une porte pareille. Je me suis donné pour un poltron, mais je m'en moque !…

....

10 septembre. – Rouen, hôtel Continental. C'est fait… c'est fait… Mais est-il mort ? J'ai l'âme bouleversée de ce que j'ai vu.

Hier donc, le serrurier ayant posé ma persienne et ma porte de fer, j'ai laissé tout ouvert jusqu'à minuit, bien qu'il commençât à faire froid.

Tout à coup, j'ai senti qu'il était là, et une joie, une joie folle m'a saisi. Je me suis levé lentement, et j'ai marché à droite, à gauche, longtemps pour qu'il ne devinât rien ; puis j'ai ôté mes bottines et mis mes savates avec négligence ; puis j'ai fermé ma persienne de fer, et, revenant à pas tranquilles vers la porte, j'ai fermé la porte aussi à double tour. Retournant alors vers la fenêtre, je la fixai par un cadenas, dont je mis la clef dans ma poche.

Tout à coup, je compris qu'il s'agitait autour de moi, qu'il avait peur à son tour, qu'il m'ordonnait de lui ouvrir. Je faillis céder ; je ne cédai pas, mais, m'adossant à la porte, je l'entrebâillai, tout juste assez pour passer, moi, à reculons ; et comme je suis très grand ma tête touchait au linteau. J'étais sûr qu'il n'avait pu s'échapper et je l'enfermai, tout seul, tout seul. Quelle joie ! Je le tenais ! Alors, je descendis, en courant ; je pris, dans mon salon, sous ma chambre, mes deux lampes et je renversai toute

73

l'huile sur le tapis, sur les meubles, partout ; puis j'y mis le feu, et je me sauvai, après avoir bien refermé, à double tour, la grande porte d'entrée.

Et j'allai me cacher au fond de mon jardin, dans un massif de lauriers. Comme ce fut long ! Comme ce fut long ! Tout était noir, muet, immobile ; pas un souffle d'air, pas une étoile, des montagnes de nuages qu'on ne voyait point, mais qui pesaient sur mon âme, si lourds, si lourds.

Je regardais ma maison, et j'attendais. Comme ce fut long ! Je croyais déjà que le feu s'était éteint tout seul, ou qu'il l'avait éteint, Lui, quand une des fenêtres d'en bas creva sous la poussée de l'incendie, et une flamme, une grande flamme rouge et jaune, longue, molle, caressante, monta le long du mur blanc et le baisa jusqu'au toit. Une lueur courut dans les arbres, dans les branches, dans les feuilles, et un frisson, un frisson de peur aussi. Les oiseaux se réveillaient ; un chien se mit à hurler ; il me sembla que le jour se levait ! Deux autres fenêtres éclatèrent aussitôt, et je vis que tout le bas de ma demeure n'était plus qu'un effrayant brasier. Mais un cri, un cri horrible, suraigu, déchirant, un cri de femme passa dans la nuit, et deux mansardes s'ouvrirent ! J'avais oublié mes domestiques ! Je vis leurs faces affolées, et leurs bras qui s'agitaient !…

Alors, éperdu d'horreur, je me mis à courir vers le village en hurlant : "Au secours ! au secours ! au feu ! au feu !" Je rencontrai des gens qui s'en venaient déjà et je retournai avec eux, pour voir !

La maison, maintenant, n'était plus qu'un bûcher horrible et magnifique, un bûcher monstrueux, éclairant toute la terre, un bûcher où brûlaient des hommes, et où il brûlait aussi, Lui, Lui, mon prisonnier, l'Etre nouveau, le nouveau maître, le Horla !

Soudain le toit tout entier s'engloutit entre les murs, et un volcan de flammes jaillit jusqu'au ciel. Par toutes les fenêtres ouvertes sur la fournaise, je voyais la cuve de feu, et je pensais qu'il était là, dans ce four, mort...

— Mort ? Peut-être ?... Son corps, son corps que le jour traversait n'était-il pas indestructible par les moyens qui tuent les nôtres ?

S'il n'était pas mort ?... Seul peut-être le temps a prise sur l'Etre Invisible et Redoutable. Pourquoi ce corps transparent, ce corps inconnaissable, ce corps d'Esprit, s'il devait craindre, lui aussi, les maux, les blessures, les infirmités, la destruction prématurée ?

La destruction prématurée ? Toute l'épouvante humaine vient d'elle ! Après l'homme, le Horla. – Après celui qui peut mourir tous les jours, à toutes les heures, à toutes les minutes, par tous les accidents, est venu celui qui ne doit mourir qu'à son jour, à son heure, à sa minute, parce qu'il a touché la limite de son existence !

Non... non... sans aucun doute, sans aucun doute... il n'est pas mort... Alors... alors... il va donc falloir que je me tue, moi !...

DU FANTASTIQUE
1883

"Lentement, depuis vingt ans, le surnaturel est sorti de nos âmes. Il s'est évaporé comme s'évapore un parfum quand la bouteille est débouchée. En portant l'orifice aux narines et en aspirant longtemps, longtemps, on retrouve à peine une vague senteur. C'est fini.

Nos petits-enfants s'étonneront des croyances naïves de leurs pères à des choses si ridicules et si invraisemblables. Ils ne sauront jamais ce qu'était autrefois, la nuit, la peur du mystérieux, la peur du surnaturel. C'est à peine si quelques centaines d'hommes s'acharnent encore à croire aux visites des esprits, aux influences de certains êtres ou de certaines choses, au somnambulisme lucide, à tout le charlatanisme des spirites. C'est fini.

Notre pauvre esprit inquiet, impuissant, borné, effaré par tout effet dont il ne saisissait pas la cause, épouvanté par le spectacle incessant et incompréhensible du monde, a tremblé pendant des siècles sous des croyances étranges et enfantines qui lui servaient à expliquer l'inconnu. Aujourd'hui, il devine qu'il s'est trompé, et il cherche à comprendre, sans savoir encore. Le premier pas, le grand pas est fait. Nous avons rejeté le mystérieux qui n'est plus pour nous que l'inexploré.

Dans vingt ans, la peur de l'irréel n'existera plus, même dans le peuple des champs. Il semble que la Création ait pris un autre aspect, une autre figure, une autre signification qu'autrefois. De là va certainement résulter la fin de la littérature fantastique.

Elle a eu, cette littérature, des périodes et des allures bien diverses, depuis le roman de chevalerie, *les Mille et Une Nuits*, les poèmes héroïques, jusqu'aux contes de fées et aux troublantes histoires d'Hoffmann et d'Edgar Poe.

Quand l'homme croyait sans hésitation, les écrivains fantastiques ne prenaient point de précautions pour dérouler leurs surprenantes histoires. Ils entraient, du premier coup, dans l'impossible et y demeuraient, variant à l'infini les combinaisons invraisemblables, les apparitions, toutes les ruses effrayantes pour enfanter l'épouvante.

Mais, quand le doute eut pénétré enfin dans les esprits, l'art est devenu plus subtil. L'écrivain a cherché les nuances, a rôdé autour du surnaturel plutôt que d'y pénétrer. Il a trouvé des effets terribles en demeurant sur la limite du possible, en jetant les âmes dans l'hésitation, dans l'effarement. Le lecteur indécis ne savait plus, perdait pied comme en une eau dont le fond manque à tout instant, se raccrochait brusquement au réel pour s'enfoncer encore tout aussitôt, et se débattre de nouveau dans une confusion pénible et enfiévrante comme un cauchemar.

L'extraordinaire puissance terrifiante d'Hoffmann et d'Edgar Poe vient de cette habileté savante, de cette façon particulière de coudoyer le fantastique et de troubler, avec des faits naturels où reste pourtant quelque chose d'inexpliqué et de presque impossible.

Le grand écrivain russe, qui vient de mourir, Ivan Tourgueniev, était à ses heures un conteur fantastique de premier ordre.

On trouve, de place en place, en ses livres, quelques-uns de ces récits mystérieux et saisissants qui font passer des frissons dans les veines. Dans son œuvre pourtant, le surnaturel demeure toujours si vague, si enveloppé qu'on ose à peine dire qu'il ait voulu l'y mettre. Il raconte plutôt ce qu'il a éprouvé, comme il l'a éprouvé, en laissant deviner le trouble de son âme, son angoisse devant ce qu'elle ne comprenait pas, et cette poignante sensation de la peur inexplicable qui passe, comme un souffle inconnu parti d'un autre monde.

Dans son livre : *Etranges Histoires*, il décrit d'une façon si singulière, sans mots à effet, sans expressions à surprise, une visite faite par lui, dans une petite ville, à une sorte de somnambule idiot, qu'on halète en le lisant.

Il raconte, dans la nouvelle intitulée *Toc Toc Toc*, la mort d'un imbécile, orgueilleux et illuminé, avec une si prodigieuse puissance troublante qu'on se sent malade, nerveux et apeuré en tournant les pages.

Dans un de ses chefs-d'œuvre : *Trois Rencontres*, cette subtile et insaisissable émotion de l'inconnu inexpliqué, mais possible, arrive au plus haut point de la beauté et de la grandeur littéraire. Le sujet n'est rien. Un homme, trois fois, sous des cieux différents, en des régions éloignées l'une de l'autre, en des circonstances très diverses, a entendu, par hasard, une voix de femme qui chantait. Cette voix l'a envahi comme un ensorcellement. A qui est-elle, il ne le sait pas. Rien de plus. Mais tout le mystérieux adorable du rêve, tout l'au-delà de la vie, tout l'art mystique enchanteur qui emporte l'esprit dans le ciel de la poésie, passent dans ces pages profondes et claires, si simples, si complexes.

Quel que fût cependant son pouvoir d'écrivain, c'est en racontant, de sa voix un peu épaisse et hésitante, qu'il donnait à l'âme la plus forte émotion.

Il était assis, enfoncé dans un fauteuil, la tête pesant sur les épaules, les mains mortes sur les bras du siège, et les genoux pliés à angle droit. Ses cheveux, d'un blanc éclatant, lui tombaient de la tête sur le cou, se mêlant à la barbe blanche qui lui tombait sur la poitrine. Ses énormes sourcils blancs faisaient un bourrelet sur ses yeux naïfs, grands ouverts et charmants. Son nez, très fort, donnait à la figure un caractère un peu gros, que n'atténuait qu'à peine la finesse du sourire et de la bouche. Il vous regardait fixement et parlait avec lenteur, en cherchant un peu le mot ; mais il le trouvait toujours juste, ou plutôt unique. Tout ce qu'il disait faisait image d'une façon saisissante, prenait l'esprit comme un oiseau de proie prend avec ses serres. Et il mettait dans ses récits un grand horizon, ce que les peintres appellent «de l'air», une largeur de pensée infinie en même temps qu'une précision minutieuse.

Un jour, chez Gustave Flaubert, à la nuit tombante, il nous raconta ainsi l'histoire d'un garçon qui ne connaissait pas son père, et qui le rencontra, et qui le perdit et le retrouva sans être sûr que ce fût lui, en des circonstances possibles mais surprenantes, inquiétantes, hallucinantes, et qui le découvrit enfin, noyé sur une grève déserte et sans limite – avec un tel pouvoir de terreur inexplicable que chacun de nous rêva ce récit bizarre.

Des faits très simples prenaient parfois, en son esprit et en passant par ses lèvres, un caractère mystérieux. Il nous dit, un soir, après dîner, sa rencontre avec une jeune fille, dans un hôtel, et l'espèce de fascination que cette enfant exerça sur lui dès la première seconde ; il tâcha même de nous faire comprendre les causes de cette séduction, et il nous parla de la façon qu'elle avait d'ouvrir les yeux sans les fixer d'abord, et de ramener ensuite d'un mouvement très lent le regard sur les personnes. Il racontait le soulèvement de ses paupières, celui de la prunelle, le pli des sourcils, avec une si étrange netteté de souvenir qu'il nous fascina presque par l'évocation de cet œil inconnu. Et ce simple détail devenait plus inquiétant dans sa bouche que s'il eût dit quelque histoire terrible.

Le charme exquis de sa parole devenait étrangement pénétrant dans les histoires d'amour. Il a écrit, je crois, celle qu'il nous a dite d'une façon si attendrissante.

Il chassait, en Russie, et il reçut l'hospitalité dans un moulin. Comme le pays lui plaisait, il se résolut à y rester quelque temps. Il aperçut bientôt que la meunière le regardait, et, après quelques jours d'une galanterie rustique et délicate, il devint son amant. C'était une belle fille blonde, propre, fine, mariée à un rustre. Elle avait dans le cœur cette instinctive distinction des femmes qui comprennent par intuition toutes les choses subtiles du sentiment, sans avoir jamais rien appris.

Il nous conta leurs rendez-vous dans le grenier à paille, que secouait d'un tremblement continu la grosse roue toujours tournant, leurs baisers dans la cuisine, pendant que, penchée devant le feu, elle faisait le dîner des hommes, et le premier coup d'œil qu'elle avait pour lui quand il rentrait de la chasse, après un jour de courses dans les hautes herbes.

Mais il dut aller passer une semaine à Moscou, et il demanda à son amie ce qu'il fallait lui rapporter de la ville. Elle ne voulut rien. Il lui offrit une robe, des bijoux, des parures, une fourrure, ce grand luxe des Russes.

Elle refusa.

Il se désolait, ne sachant quoi lui proposer. Il lui fit enfin comprendre qu'elle lui causerait un gros chagrin en refusant. Alors elle dit :

— Eh bien ! vous m'apporterez un savon.

— Comment, un savon ! Quel savon ?

— Un savon fin, un savon aux fleurs, comme ceux des dames de la ville.

Il était fort surpris, ne comprenant guère la raison de ce goût étrange. Il demanda :

— Mais pourquoi veux-tu justement un savon ?

— C'est pour me laver les mains et qu'elles sentent bon, et que vous me les baisiez comme vous faites aux dames.

Il disait cela d'une telle façon, ce grand homme tendre et bon, qu'on avait envie de pleurer."

Article publié dans *le Gaulois*,
le 7 octobre 1883.

MAUPASSANT
ET L'ÉVIDENCE FANTASTIQUE

Le Texte hanté
par Roger Bozzetto

L'Effroi du blanc ou le Paradoxe du fantastique
par Alain Chareyre-Méjan

LE TEXTE HANTÉ

Maupassant a beaucoup écrit, plus de trois cents nouvelles sans compter les romans, et ceci en moins de vingt ans*. Si l'on excepte de nombreux récits courts qui sont d'aimables histoires d'adultère bourgeois, on est frappé par un petit nombre de thèmes sous des formes diverses. Le thème de la paternité, lié à l'adultère : qui est le père de qui ? comme on le voit dans *Monsieur Parent* où c'est un père qui tente de se faire reconnaître par son fils. Ou l'inverse : *Un champ d'oliviers* : un enfant vient se faire reconnaître de son père, qu'il assassine ensuite. Ailleurs, dans *Un fils*, un père retrouve un fils abandonné mais ne s'en fait pas reconnaître. Dans *Aux champs* : un fils reproche à ses parents de ne pas l'avoir cédé à une famille de riches bourgeois qui auraient voulu l'adopter. Les exemples abondent où la hantise généalogique constitue le pilier, ou oriente le fil d'une vie.

On a prétendu que ce type de hantise, à savoir le rapport au père, ici le père imaginaire ou idéal

---

* Voir l'édition *Contes et nouvelles de Maupassant*, coll. "Bouquins", Laffont, 1988. Sauf contre-indication ce sera notre édition de référence.

(Flaubert) donnait la clé des récits du *Horla*. Le narrateur, comme l'ont montré des recherches minutieuses, est présenté dans la maison qu'habitait Flaubert à Croisset, au bord de la Seine. Si, devenu fou, il finit par brûler la maison, représentant métaphoriquement le lieu où se tient ce père, ce serait une sorte d'exorcisme : Maupassant se débarrasserait de l'image encombrante de Flaubert*. Il est possible que l'origine de ces thèmes récurrents soit à rechercher dans la biographie de l'auteur, mais cela dépasse les moyens sinon les ambitions de l'analyse littéraire. Rien n'indique en effet que le narrateur soit une "projection" de Guy de Maupassant. D'autant que c'est un texte dont nous savons qu'il ne provenait pas de son propre fonds, puisque Georges de Porto-Riche lui a donné la trame qui a abouti à la première version**.

Ce récit est singulier, pourtant, en ceci que c'est la seule fois où Maupassant nous laisse en présence de deux versions d'un texte sous le même titre.

Quant aux études portant spécifiquement sur *le Horla*, elles datent de moins d'un quart de siècle. Leur apparition coïncide avec le renouveau des études sur le fantastique, depuis 1970***. Ces études ont

---

* Pour d'autres comme J. Bienvenu in *Maupassant, Flaubert et le Horla* (Muntaner, 1991), ce qui hanterait alors Maupassant ce serait la figure de l'oncle paternel, Le Poittevin.
** *Maupassant*, coll. "Bouquins", Laffont, 1988, t. II, p. 97.
*** Les analyses spécifiques des versions du *Horla* remontent à 1971, et ont depuis été assez nombreuses. J'en ai relevé comme significatives, dans l'ordre d'apparition :
Philippe Hamon, "*Le Horla* de Guy de Maupassant. Essai de description structurale", *Littérature*, n° 4, 1971.

abandonné la piste biographique, et se sont attaqués au mystère de ces textes, sans les épuiser, ce qui est la preuve qu'ils sont d'une excellente facture.

Pourtant aussi bien Hamon (1971) que Dentan (1976) – qui sont parmi les premiers à analyser *le Horla* de façon spécifique, et non plus dans le cadre d'une étude sur l'ensemble des contes – privilégient la seconde version au point d'ignorer la première, et ils ne sont pas les seuls.

Les critiques qui ont analysé cette version privilégiée l'ont fait selon deux interprétations opposées de deux types de hantise. La première met l'accent sur la présence réelle du *Horla* dans le monde représenté. C'est le cas pour J. Van Herp, ainsi que pour Dentan, à titre d'hypothèse transitoire*. L'autre

André Targe, "Trois apparitions du Horla", *Poétique*, n° 24, 1975.
Michel Dentan, "*Le Horla* ou le vertige de l'absence" in *Etudes de lettres*, Lausanne, 1976, t. II, p. 45-54.
M.-C. Ropars-Wuilleumiers, "La Lettre brûlée : écriture et folie dans *le Horla*". *Colloque de Cerisy sur le naturalisme*, UGE, 1978, p. 349-365.
Jacques Neefs, "La Représentation fantastique dans *le Horla* de Maupassant", *CAIEF*, n° 32, mai 1980, p. 231-243.
F. Letoublon, "Le Fantastique avant la lettre", *Cahiers du Gerf* n° 1, université de Grenoble-III, 1987, p. 47-48.
Antonia Fonyi, "La Nouvelle de Maupassant : le matériau de la psychose et l'armature du genre" in *Maupassant miroir de la nouvelle*, Presse Universitaire de Vincennes, 1988, J. Lecarme et B. Vercier éd., p. 71-85.
* Jacques Van Herp, *Fantastique et mythologies modernes*, Ed. Recto/Verso, Bruxelles, 1985, p. 48. "On y voit une des premières apparitions du mutant… le Horla est nettement présenté comme un produit de l'évolution."

attitude, à laquelle se rallie finalement Dentan, avec l'ensemble des autres critiques, privilégie la dimension fantasmatique du texte.

Il faudra attendre l'étude de Targe, en 1975, pour qu'une analyse prenne en compte de façon systématique, et pour en tirer des conclusions valides, les différences entre les deux textes.

Cependant les présupposés ont la vie dure. Lorsque J. Neefs, dans un excellent article, étudie la présence de cette double version, c'est simplement pour en déduire, à juste titre, que la seconde est plus à même d'édifier "un espace de représentation dans l'incertitude de ses limites et de ses garanties" (p. 234). Il justifie ce double traitement du thème par le fait que "Maupassant a fait subir un tour d'écrou supplémentaire, interne, pourrait-on dire, à la question de la relation entre représentation et réalité" (p. 235). Maupassant a peut-être donné un "tour d'écrou" supplémentaire, mais, pour J. Neefs, les deux versions relèvent quand même du fantastique.

En d'autres termes, le problème de la reprise est traité par les critiques comme si la première version

André Targe voit dans cette première version "un récit d'aliéné" (*op. cit.*, p. 446).

Michel Dentan, *op. cit.*, p. 50. "Aurions-nous affaire, non à un récit fantastique, mais à un récit de science-fiction, qui allant un peu au-delà des inventions de Jules Verne, consisterait à créer une réalité nouvelle par extrapolation, à partir d'un bric-à-brac philosophico-scientifique de la pensée positiviste du XXe siècle ?"

était une ébauche du traitement d'un thème, et la seconde son aboutissement*.

Mon hypothèse sera différente. Il ne s'agit pas de deux tentatives dont l'une serait mieux réussie. J'admets volontiers que nous avons bien, dans ces deux avatars, deux manières de traiter d'un même thème, à partir d'un matériau pratiquement similaire. Mais la visée de chacun des textes est spécifique, comme en témoignent les moyens d'énonciation mis en œuvre.

Dans la première version, le texte nous propose l'inquiétante intrusion d'un "alien" qui vient hanter le cadre rassurant de notre univers et peut-être nous en chasser.

Dans la seconde, il s'agit d'un récit fantastique d'épouvante, fondé sur l'aliénation, et présenté dans la perspective d'une conscience qui subit les effets d'une hantise et nous en rend compte.

Ces deux textes sont la mise en travail d'une situation qui semble hanter l'écrivain depuis l'un de ses premiers textes, *Heraclius Gloss*, que l'on retrouve dans *Lui ?* et, avant tout, dans *Lettre d'un fou*.

* Louis Forestier, *Contes et nouvelles de Maupassant*, Gallimard, La Pléiade, 1979, t. II, "Une ébauche", p. 1590. André Targe pose sans la moindre preuve que "mécontent de la première version trop elliptique, Maupassant la récrit", *op. cit.*, p. 446.

Dans les deux versions, l'énoncé renvoie aux mêmes éléments culturels, et les mêmes séquences y sont présentes. Mais le fantastique ne s'appuie plus sur des images du surnaturel folklorique. Il s'appuie maintenant sur des hypothèses touchant à l'altérité et dérivées des avancées philosophiques et scientifiques.

Cette ruine du surnaturel ancien est d'ailleurs thématisée par la visite au Mont-Saint-Michel, dans la seconde version, où le texte associe le mot "fantastique" (trois occurrences) aux vocables "gothique", "diable", "monstrueux", "histoire" et "légende". Maupassant revient dans divers articles, comme dans certains contes, sur la disparition du surnaturel folklorique et l'advenue d'un fantastique lié à des états de conscience explorés depuis peu par l'hypnotisme ou le magnétisme*.

Le développement de la science, comme du positivisme qui s'en voulait la philosophie, avaient été, au début du siècle, l'objet d'un espoir insensé : on allait créer un nouvel âge d'or**.

---

* Cf. Guy de Maupassant, *La Peur* (1984) ou l'article sur *le fantastique*, *Le Gaulois*, 7 octobre 1883 : "Lentement depuis vingt ans le surnaturel est sorti de nos âmes…" Voir ci-après. Pour ce qui regarde le magnétisme voir Isabelle Stengers et Tobie Nathan, *Médecins et sorciers*, coll. "Les Empêcheurs de penser en rond", 1995.
** Entre 1851 et 1854 Auguste Comte fait paraître son *Système de politique positive*. Son *Cours de philosophie positive* a paru en 1830.
Voir Pierre Martino, *Le Naturalisme français*, Armand Colin, 1960, p. 42-43.

Des échos de cet espoir se retrouvent dans certains textes de Maupassant, où cette attitude est présentée comme une conquête de la raison : "Le surnaturel baisse comme un lac qu'un canal épuise, la science à tout moment recule les limites du merveilleux*…"

Mais on trouve aussi chez lui une oscillation entre l'espoir et le regret. Par exemple dans *la Peur* qui présente deux personnages : un jeune qui trouve positif que l'inexpliqué devienne explicable par la science, et un vieux certes "un peu détraqué" qui regrette que la science ait chassé le surnaturel faisant de la Terre "un monde abandonné et nu". Il ajoute : "Comme je voudrais croire à ce quelque chose de vague et de terrifiant qu'on s'imaginait sentir passer dans l'ombre" (*La Peur*, p. 40). Le texte ne semble pas choisir entre ces deux positions.

Ajoutons que la désillusion devant les espoirs déçus de la science a été amplifiée par les textes pessimistes de Schopenhauer.

En outre, depuis 1880, Maupassant lit Herbert Spencer, qui dès ses *Premiers Principes* (1871) pose les limites du connaissable. Il apporte confirmation des capacités de la raison humaine et de la science sur les objets du monde matériel, comme de son impuissance devant les questions métaphysiques.

En 1862, Darwin publie *l'Origine des espèces par voie de sélection naturelle*, et en 1871 *les Origines de l'homme* qui apportent un correctif sérieux et

* Guy de Maupassant, *Le Gaulois*, 8 novembre 1881.

argumenté aux récits fabuleux des genèses créationnistes bibliques ou coraniques.

Ces rappels des idées *dans l'air* à l'époque étaient nécessaires. Ils confèrent aux mystères évoqués dans nos récits – et touchant le thème du "successeur" de l'homme – une certaine crédibilité. Cela vaut pour les deux versions. La seconde ajoute l'anecdote de l'hypnose et celle du mont Saint-Michel, qui, à leur manière, redoublent – selon des modalités différentes la présence de thèmes fantastiques – l'ancien et le moderne.

Mais la forme de ce contenu diffère totalement et engendre deux textes aux univers hétérogènes touchant à la présence de l'autre. La première version s'inscrit dans la thématique anthropologique du successeur de l'homme, la seconde dans celle de l'aliénation*.

Cette double approche de l'altérité correspond d'ailleurs à deux représentations possibles de la hantise par un "autre" et renvoie à deux *lignes* présentes dans les fictions où Maupassant a développé ce thème. L'une tend une certaine objectivation de l'altérité, par divers procédés de distanciation, l'autre insiste sur la présence d'une subjectivité désemparée devant l'inconnu. Ces deux représentations passent par des procédés très différents.

---

* On notera que cela ne renvoie pas forcément à une opposition entre intériorité et extériorité : *L'Etrange Cas du docteur Jekyll et de Mister Hyde* de Robert Louis Stevenson, à la même époque, 1886, est là pour nous le rappeler.

La présence de l'épouvante date de ses débuts d'écrivain. Elle lie la peur du narrateur à sa rencontre avec son double comme on le voit avec *Heraclius Gloss*, ou bien à la sensation de se dédoubler et de se sentir réduit à une sorte d'aboulie qui amène à "cet effroi bête et inexplicable... [qui] devenait de la terreur*" *(Sur l'eau)*, ou encore à la prégnance d'associations qui sont autant "de ces mystérieux et inconscients rappels de la mémoire qui nous représentent des choses négligées par notre conscience**".

Et, à considérer l'ensemble des textes de Maupassant répertoriés comme fantastiques, nous voyons qu'ils se déploient sans rupture thématique tout au long de sa carrière, de son premier texte *la Main d'écorché* (1875) jusqu'à *Qui sait ?* (1890). On notera aussi une évolution symptomatique de la stratégie narrative par laquelle Maupassant ne cesse de resituer ses personnages par rapport à la hantise par "l'autre".

* Guy de Maupassant, *Sur l'eau* (1876) : "Il y avait en moi autre chose que ma volonté, et cette autre chose avait peur... mon moi brave railla mon moi profond, et jamais aussi bien que ce jour-là, je ne saisis l'opposition des deux êtres qui sont en nous, l'un voulant l'autre résistant, et chacun l'emportant tour à tour", *op. cit.*, t. I, p. 167. *Un fou ?* (1884) Parent est doué d'un pouvoir contre lequel il ne peut rien : "nous sommes deux dans mon pauvre corps et c'est lui, l'autre, qui est souvent le plus fort comme ce soir", *op. cit.*, t. II, p. 150.
** Guy de Maupassant, *Magnétisme*, *op. cit.*, t. I, p. 372.

On peut, en effet, distinguer deux types de composition dans ses nouvelles. Premier cas : la présence d'une histoire seconde, qui est encadrée. Second cas : abolition du cadre.

Pour le premier type, pensons à *Apparition*, où une distanciation est établie entre le cadre et le récit second. Cela permet au récit enchâssant d'apparaître comme une sorte d'instance de commentaire ou de délibération, qui maintient le cas, ici surnaturel, à distance raisonnable.

Ce modèle est réservé aux récits mettant en scène le fantastique résultant du surgissement d'un surnaturel ancien de type légendes, fantômes, apparitions. Entre l'événement et sa narration, autre moyen de distanciation, du temps a passé, comme on le voit pour *Apparition* et pour *le Loup*, et que curieusement on retrouvera dans *le Horla I*.

Ce premier type évolue cependant : à partir du moment où la thématique de l'aliénation, liée à la peur, va inspirer Maupassant, il va innover au plan formel. Le cadre du premier récit va s'effacer, abolissant ainsi la distance entre le récit enchâssant et l'enchâssé et provoquant des courts-circuits étonnants, qui mettent mal à l'aise, comme on le voit dans *Lui ?* et dans *la Chevelure**.

---

* Dans *Lui ?* (1883) un narrateur unique est représenté, saisi dans l'urgence, devant un destinataire potentiel, puisqu'il s'agit d'un soliloque en présence d'un ami muet.
Dans *Lettre d'un fou* (1885), l'ami présent sera remplacé par le médecin absent à qui s'adresse la lettre, qui a le même caractère d'urgence que dans *Lui ?*.

Ces innovations formelles vont toutes dans le même sens ; laisser advenir l'objet de la hantise dans une proximité émotionnelle de plus en plus évidente : la réussite la plus éclatante en sera la seconde version du *Horla* (1887) qui vient après la tentative réussie de *la Chevelure*.

La seconde ligne est plus tardive. Maupassant est alors fasciné et angoissé par l'infirmité de nos sens, face à l'infinité et à la diversité de l'univers. Cela entraîne une relativisation extrême de la capacité de connaître, dont ses personnages ne cessent plus de souffrir. Il déplore dans ses chroniques que "l'intelligence a cinq barrières entrouvertes et cadenassées que l'on appelle les cinq sens… l'intelligence aveugle et laborieuse inconnue ne peut rien savoir, rien comprendre, rien découvrir que par les sens*".

Mais même avec ses limitations, "la science actuelle… est la prodigieuse évocatrice d'un monde nouveau… les études de Herbert Spencer, de M. Pasteur et de quelques autres jettent nos esprits vers des hypothèses, d'une réalité précise et inattendue**".

Dans *la Chevelure* (1884) on trouve bien un récit primaire et un journal enchâssé mais la contamination entre les deux niveaux est évidente. Le narrateur du récit primaire est en visite dans l'asile où se trouve enfermé le diariste nécrophile, qu'il aperçoit par la fenêtre. Par la lecture du journal et le toucher de la chevelure, le narrateur est hanté par les mêmes fantasmes érotiques que le malade enfermé.
* Guy de Maupassant, *La Vie errante*, Ed. L. Conard, 1909, p. 23.
** Guy de Maupassant, *Etudes, chroniques et correspondance*, Ed. L. Conard, p. 178-179.

On retrouve ces réflexions dans une série de nouvelles dont la première : *Un fou* date de 1884, suivies de *Lettre d'un fou* (1885), *Le Horla I* (1886), *L'Homme de Mars, Le Horla II* (1887).

On notera cependant que ces thèmes de l'infirmité des sens, et la relativité du savoir qui en découle, comme celui de la possibilité d'autres mondes ou d'autres êtres, sont présentées dans les chroniques comme des choses sérieuses, appuyées sur des autorités philosophiques, et que Maupassant prend à son compte*. Par contre, dans les nouvelles, ces thèses sont soutenues par des personnages d'excentriques, comme *l'Homme de Mars*, ou de fous comme on le voit dans *Lettres d'un fou* ou même dans les deux versions du *Horla* proprement dit.

Ces thèses concourent à la création d'une épouvante moderne. Celle-ci survient ainsi devant des phénomènes dont les personnages ignorent à quel registre ils doivent les référer. C'est ce que l'on voit dans *Lettre d'un fou***, à partir de

---

* "Faut-il que nous ayons l'esprit lent, fermé et peu exigeant, pour nous contenter de ce qui est. Comment se fait-il que le public du monde… n'ait pas demandé l'acte suivant avec d'autres êtres que l'homme, d'autres formes, d'autres fêtes, d'autres plantes, d'autres astres", *in* Gérard Delaisement, *Maupassant, journaliste et chroniqueur*, Albin Michel, 1956, p. 90.
** "Nous sommes entourés de choses que nous ne soupçonnerons jamais parce que les organes nous manquent qui nous les révéleraient", *Un fou ? op. cit.*, t. II, p. 150.
"Du moment que nous ne pouvons connaître presque rien, du moment que tout est sans limites, quel est le reste ? Le vide n'est-ce pas ? Qu'y a-t-il dans le vide apparent ?", *op. cit.*, t. II, p. 518."

quoi les deux avatars du *Horla* vont prendre forme*.

LA PRÉSENCE DE L'ÉTRANGER

Maupassant a modifié sa technique de composition à mesure que son approche du fantastique évoluait. Il ne s'appuie plus sur l'irruption d'un surnaturel externe, mais explore l'émergence du sentiment intérieur d'un fantastique articulé à la folie. Ce qui entraîne des conséquences au plan narratif.

Avec la première version du *Horla*, on retrouve en effet un narrateur extérieur à l'action, un cadre qui est une instance de délibération, composée de savants choisis par un autre scientifique, le docteur Marrande. Le récit second, à savoir l'exposé du cas par celui qui en est victime, apparaît donc distancié, et la lecture proposée en est d'autant dédramatisée.

Les faits contés par le malade remontent à un an, et le docteur Marrande qui "croyait que j'étais fou" en est à s'interroger, avec son aréopage de savants, sur un "cas bizarre" et "inquiétant". Bizarrerie et inquiétude portant évidemment ici plus sur l'objet du discours, à savoir le Horla comme objet possible, que sur le prétendu malade.

En effet ce récit encadré édifie un espace d'accueil pour l'apparition d'un phénomène inexpliqué, qui

---

* On y trouve déjà la chambre et le lit à colonnes, l'armoire à glace et la disparition de l'image, *op. cit.*, t. II, p. 519.

résulte d'une enquête menée sérieusement par le patient et qui aboutit à de l'inexplicable. Sauf si l'on reconnaît la validité de l'explication qui résulte de cette sorte d'enquête, et que l'on accepte de rassembler les indices pour reconstituer une sorte de puzzle. Le cocher malade, les voisins porteurs des mêmes symptômes, la concomitance entre l'arrivée du bateau et les premières fièvres, l'article de journal sur l'épidémie brésilienne : voilà les circonstances et leurs conséquences. A quoi s'ajoutent les expériences personnelles du sujet : l'eau, le miroir, l'absence de traces malgré la mine de plomb.

Tous les éléments s'emboîtent dans le cadre de ce qui peut être lu soit comme un scénario délirant, soit comme une théorie. Ce qui permet de trancher entre les deux possibilités, c'est la confirmation par des observations indépendantes. Or c'est bien le cas ici : le docteur Marrande a effectué ses observations, avec des résultats qui vont dans le sens de ce que le patient affirme.

Ajoutons ceci : le malade, en tant que narrateur second, présente son cas de façon très "professionnelle". Son récit est très cohérent, il suit l'ordre chronologique des événements, et utilise des moyens de persuasion très fins. Devant les réactions du "jury" de savants, il fait preuve d'une grande maîtrise : "Je suis calme… attendez…Vous ne me croyez pas…" Le docteur Marrande, son médecin, est lui-même cité à comparaître comme témoin. C'est le psychiatre lui-même qui se voit obligé de répondre aux questions de celui qui est officiellement un de ses malades. Ce renversement des rôles est un élément essentiel de la mise en scène persuasive. Et quand le médecin est obligé d'avouer "c'est vrai", la réalité de l'événement prend toute sa force d'évidence, malgré son aspect "bizarre"

Nous assistons donc avec *le Horla I* à la contamination de deux niveaux narratifs. Mais alors que dans *la Chevelure* cette contamination se situait au plan de l'irrationnel de la jouissance interdite, ici elle se place au plan des idées. Le docteur Marrande est placé dans la position du témoin de moralité, d'avocat de son patient : il le défend et lui apporte la caution de son autorité. Nous ne connaissons pas les réactions ultimes du jury, mais ce qui s'impose à la lecture c'est bien la présence d'un "Etre" non répertorié, que le patient a décidé de "baptiser" de façon arbitraire du nom de "Horla".

Cet "être" possède quelques caractéristiques du vampire, mais son champ d'action est peu étendu, puisqu'il semble demeurer dans les parages de la maison du narrateur, après son voyage maritime qui l'a amené du Brésil jusqu'à cette embouchure de la Seine. Il fait peut-être partie des possibles "successeurs" de l'homme.

En effet l'idée de sélection naturelle, dérivée du darwinisme, a pour conséquence que toute forme vivante doit s'adapter de mieux en mieux à ses conditions d'existence, ou laisser la place. Elle a donc pour effet de relativiser la place de l'homme dans la nature, de la présenter comme un éventuel moment historique, et donc révocable. Cette idée sera reprise par de nombreux auteurs de la même époque, comme par exemple le premier prix Goncourt, John Antoine Nau qui, avec *la Force ennemie* (1903), présente un individu, dans un asile, dont l'esprit est possédé par un extraterrestre, à la manière dont, dans le vaudou, l'homme élu devient "le cheval" d'un esprit, le temps qu'il plaît à celui-ci de s'en servir. Le fait que le Horla soit originaire des Amériques peut justifier ce rapprochement.

Cette première version du *Horla* tend donc à présenter comme probable la présence d'un "alien" qui hante notre monde. Alien qui est peut-être comme notre "successeur", comme à l'homme de Néanderthal a succédé l'*Homo sapiens*. La perspective est alors cosmique. Il en va tout autrement dans la seconde.

L'ÉPOUVANTABLE ALIÉNATION

Le Horla II se présente au premier abord comme un récit d'obsession qui montre l'effondrement psychique d'un individu non nommé qui écrit un journal, où nous suivons l'évolution de ce qui apparaît comme un délire avec passage à l'acte. Certes il y est aussi question du Brésil, de vampires, d'un éventuel "successeur", tout comme dans la première version. Mais ces éléments sont malaxés dans la réalité d'un discours qui se défait. Cet ancrage, dans la réalité de référence, par quelques signifiants culturels, suffit à peine à créer l'effet d'ambiguïté propre du fantastique classique, et nous laisse en présence d'une expérience d'épouvante due à une hantise personnelle.

On a vu, plus haut, comment Maupassant tendait à faire disparaître des frontières entre l'événement et le narrateur premier. Ici, il va plus loin : les lecteurs sont directement interpellés. Le lecteur du *Horla II* entre en effet en contact direct avec le texte du journal, après avoir franchi les pointillés qui lui servent de sas d'entrée. Et la clôture du texte se fait aussi dans le cadre d'autres pointillés que le lecteur seul peut franchir. On ignore totalement la présence d'un avant ou d'un après*.

Ces feuillets du journal correspondent uniquement à l'advenue du Horla dans le champ de conscience du narrateur, et sans doute à ses effets, à savoir la destruction de cette conscience. Nous n'en saurons pas plus, car celui qui tient le journal est l'observateur unique de ce dont il est le héros/victime. Le journal a pour effet de nous confronter à une intériorité en travail, et il se termine sur une interrogation suivie de points de suspension.

Les éléments ne sont plus saisis, comme dans *le Horla I*, dans un retour en arrière, qui en permettait

---

* A la différence de ce que l'on trouve dans d'autres textes où Maupassant utilise les pointillés comme dans *Amour, trois pages du livre d'un chasseur*, dans *Un fou*, dans *Lettre trouvée sur un noyé*.

la reconstitution. Ils sont présentés dans la tension d'une interrogation angoissée que ce procédé est censé faire partager au lecteur. Car il ne s'agit pas simplement d'un récit à la première personne, c'est un journal tenu au présent, qui tend à associer le lecteur à ce présent, c'est-à-dire dans l'ignorance de ce qui va advenir, et qui est présenté, par touches, comme de plus en plus terrifiant.

Le journal rassemble en effet une succession d'événements, sans que l'on y trouve, comme dans *le Horla I*, une volonté démonstrative. Au contraire, on ne trouve que du désordre, des soubresauts d'une conscience prise au piège et qui se débat. Ici, aucune volonté de convaincre un auditoire éventuel, mais une subjectivité en proie à l'aliénation. On y voit donc les mêmes signifiants que dans *le Horla I*, mais leur accumulation, en apparence désordonnée, donne à penser qu'il s'agit d'un processus confusionnel. Si le narrateur, après avoir mis bout à bout quelques éléments crie "je sais… je sais… je sais tout", le lecteur demeure avec ses doutes sur l'état d'esprit de celui qui a écrit ces mots.

Même l'article de journal concernant l'épidémie brésilienne n'apparaît pas ici comme une preuve irréfutable.

En effet, il nous présente le narrateur se mettant, de manière hallucinée, à la place de l'autre : "Il a vu la maison, il a sauté du navire sur la rive." Et les raisons qu'il donne de cet engouement apparaissent comme de pures élucubrations. En effet, le narrateur décide que si le Horla a choisi de sauter à cet endroit, devant cette maison, c'est à cause du blanc, "du blanc du navire au blanc de la maison*".

Les séquences par lesquelles le Horla advient dans le champ de conscience du narrateur ressemblent donc à la montée d'une obsession, à l'éploiement d'une hantise. Le texte nous propose une progression de cette dépossession de soi de "on" a bu à "il" a bu puis à "lui" et enfin à son nom "le Horla". Cet autre s'introduit et s'affirme par un nom qu'il impose en hurlant. Les réactions devant cette irruption sont elles aussi en une progression : "je l'ai vu" "je sais" avant d'en arriver à "il devient mon âme" et à "je le tuerai". On voit ici une différence importante avec *le Horla I*. Dans cette première version le narrateur choisissait librement de nommer un phénomène extérieur, par une alliance de mots, le "hors-là", un "être", dont il reconnaissait les manifestations dans le monde extérieur. Ici, non. Nous assistons à une scène affolante, où un être invisible crie sans qu'on l'entende, et répète son cri qui est son nom. Il finit par imposer un nom qui n'a ni signifié ni référent, et qui fait sans doute allusion au fait qu'il est, comme un simple bruit, en dehors de la langue

* On peut construire une série cohérente avec le thème de la blancheur. Le Horla descend du bateau blanc pour surgir dans l'histoire et faire entamer la page vierge d'un journal. Pour le piéger, le narrateur fait semblant d'écrire. Il espère faire surgir, sur la page blanche, la figure du Horla, comme l'hypnotiseur a fait émerger, pour sa cousine, la figure du narrateur sur sa blanche carte de visite.

(Hors-là ?*) On peut rapprocher cette scène où le narrateur n'entend pas une voix qui crie dans sa tête, à ces remarques du début de sa maladie lorsqu'il note "j'essaie de lire, mais je ne comprends pas les mots".

Entre ces séquences, le narrateur a connu différentes expériences**. Il a connu les vertiges dans l'allée déserte, les explications du moine au Mont-Saint-Michel, il a vu le docteur Parent démontrer le pouvoir de la suggestion par l'hypnose, il s'est lui-même senti à Rouen dominé par une volonté étrangère, et il a même vu dans un miroir son reflet gommé par celui de l'"autre" en surimpression. En d'autres termes, la puissance de cette voix qui crie ce nom étrange dans sa tête est reliée pour lui à un ensemble de signes, et en particulier à la forme de cet "autre", qui est décrit comme "transparence opaque". Cette forme semble se donner à percevoir dans le miroir, et dans le texte, en échange de l'image du narrateur***. Ce qui paraît signifier que le Horla envahit l'espace aussi bien géographique que psychique du narrateur, et l'expulse de ces

* Ce ne sont pas les hypothèses qui manquent pour expliquer ce mot. Hors-là en est une, ce peut aussi être l'anagramme d'"alors" (voir la dernière phrase du texte "alors il va falloir que je me tue"), ou de "ce choléra", ou du nom du poète Jean Lahore, etc…
** Targe note d'ailleurs que les séquences sont les mêmes dans les deux textes et se présentent dans le même ordre.
*** M.-C. Ropars-Wuilleumiers : "Le horla est celui qu'on ne voit pas mais aussi celui qui empêche que l'on se voie dans le miroir", *op. cit.*, p. 355.

lieux dont il croyait être le possesseur. Il l'aliène, le rend étranger à soi-même et à son milieu.

Les étapes et les moyens de cette aliénation sont présents dans le journal. Le début nous montre le narrateur enclos dans son berceau natal et ancestral*, proche de ses racines, semblables à celles de l'"énorme platane" qui couvre la maison de son ombre tutélaire – cadre enveloppant qui disparaît ensuite. Peu à peu les allées autour, le jardin, la chambre, les livres et même le manuscrit du journal, c'est-à-dire les possessions du narrateur, sont envahis. Sans compter qu'il est dépossédé de son sommeil, de sa volonté, de son libre arbitre, de son image même. Le texte montre comment l'on passe d'un "je" univoque, maître de soi et de son univers, à une possible dissociation de ce "je" qui se demande s'il n'est pas un autre, dans les cas de somnambulisme. Nous le voyons ensuite envisager la possible coexistence d'un "je" et d'un "il", puis aboutir à la subjugation de ce "je" par le "il". Même ce qu'il "faisait semblant d'écrire" (est-ce le journal ? est-ce une page blanche qu'il griffonne ?) est violé, l'esprit du narrateur se trouve ainsi envahi par un "être" donné à la fois comme matériel et immatériel. Matériel puisque le texte le montre sentant une fleur, buvant de l'eau et du lait, tournant les pages d'un livre, sautant par la fenêtre après avoir renversé

* Ancestral mais non familial : absence de parents proches, sauf la cousine parisienne. Cette absence de parents renforce l'idée de solitude. De même on notera l'absence de présence féminine.

une chaise. Immatériel, puisque le narrateur avoue "Je ne puis l'atteindre" et parle de ce corps "autre" comme "imperceptible", "inconnaissable" et enfin "indestructible" car il devient "[s]on âme".

A mesure que le journal progresse, l'"Etre" finit par devenir un "corps d'esprit", autre alliance de mots qui marque, au même titre que son nom et que son apparence de "transparence opaque", l'impossibilité pour le narrateur de donner un sens à ce qu'il ressent et dont il parle. Parallèlement, le déroulement du journal laisse percevoir dans la forme même des phrases, le processus de la montée d'une épouvante, consécutive à une dépossession. L'utilisation d'images et de métaphores, mais aussi la densification de signes textuels comme les exclamations, les interrogations, les vocatifs, les phrases nominales courtes, l'insertion de points de suspension et de lignes de pointillés, tout indique cette dépossession de soi, une perte de pouvoir sur les choses, sur les mots et sur soi ainsi que l'angoisse qui en résulte*.

---

* On peut comparer avec intérêt le nombre d'interrogations, d'exclamations et de points de suspension dans les deux versions. Dans *le Horla II* les interrogations, abondantes, se déploient sur deux axes. Celui des sensations du narrateur : qu'ai-je donc ? pourquoi ? quoi ?, et celui qui porte sur l'autre : qui ? comment le nommer... sans compter les suspensions et les pointillés qui hachent le discours du narrateur et en rendent l'aspect haletant. On trouve des effets semblables d'utilisation des phrases nominales hachées de points de suspension dans un texte réaliste *Monsieur Parent* (1886 comme *le Horla I*), *op. cit.*, t. II, p. 670-671.

Perte de pouvoir sur les choses, qui aboutit à ce passage à l'acte qu'est la destruction de la maison par un incendie provoqué*. Perte de pouvoir sur soi qui fait aboutir le narrateur, loin de ses racines, dans un hôtel de Rouen, l'hôtel *Continental* – d'où est datée la dernière page connue du journal – et donc perte de pouvoir sur les mots puisque le journal s'arrête.

La fin montre en effet le narrateur déraciné, loin de sa maison natale, de sa chambre, de son solide lit de chêne à colonnes, et prêt à se supprimer, en désespoir de cause, puisque c'est en lui que réside ce désir de mort. Notons que la dernière phrase est particulièrement significative, puisque le narrateur se sent dans l'obligation de se tuer… afin de lutter contre "l'angoisse de la destruction prématurée" qui l'"épouvante".

DEUX VISÉES

La comparaison entre les deux versions pourrait se poursuivre à propos d'autres éléments. On pourrait prendre en compte les incipits, les épilogues, l'usage des temps, les mentions explicites de la folie. Toutes

* On peut noter que l'incendie est préparé par la scène de l'hypnotisme. Là, déjà, ne pouvant apporter la preuve que son mari lui a écrit une lettre pour justifier sa demande d'argent, la cousine affirme, contre toute évidence puisqu'elle obéit à une suggestion et n'a donc jamais reçu de lettre, qu'elle l'a brûlée. La preuve est donc détruite, et elle ignore tout de la suggestion dont elle est victime. Alors que le narrateur, lui, croit qu'il sait.

ces comparaisons vont dans le même sens. Maupassant a bien traité le même thème, dans le cadre de deux types de rhétorique narrative, mais pour des buts chaque fois différents.

La première version, dans un cadre narratif classique, propose une lecture du matériau déjà présent dans *Lettre d'un fou*. Il le fait dans une optique proche de ce qui sera bientôt conçu comme "merveilleux scientifique", et illustré en particulier par Rosny aîné, Maurice Renard, H. G. Wells, etc.*. Le Horla y est alors présenté comme un éventuel mutant. Non pas le double, mais le successeur de l'homme. La caution de l'aliéniste aux affirmations du patient équivaut à un redoublement de la preuve que celui-ci dit vrai. La hantise est ici d'ordre cosmique.

La seconde se place, pour Maupassant, dans le droit fil d'une série d'expérimentations narratives. Il se situe après le tour de force de *la Chevelure*, où le journal du fétichiste et la chevelure comme objet contaminent le narrateur premier. Dans *le Horla II* le cadre primaire lui-même est aboli, le narrataire est représenté par un vague "nous" à valeur générale, ou par Dieu, mais "Est-il un dieu ?".

Reste que ce texte du *Horla II*, au présent, journal de bord d'une crise d'envoûtement, de possession, ou d'un type de démence, a pour effet de mettre le lecteur *en contact direct* avec l'interprétation d'indices par un esprit hanté. Le texte fait ainsi *toucher*, sans

* *Les Xipéhuz* de Rosny aîné, *Le Docteur Lerne, sous Dieu* par Maurice Renard, *La Guerre des mondes* de H. G. Wells.

médiation, l'angoisse d'une dépossession, et le "passage à l'acte" dans le cadre d'une sorte de dédoublement, d'une hantise par une éventuelle part de soi qui prendrait le contrôle de l'ensemble de l'appareil psychique, et dont le résultat est une aliénation.

Mais le journal donne la parole à un narrateur soucieux de donner, par sa version d'une expérience, la preuve qu'il est sain d'esprit, et que ses actes les plus déments (le feu mis à la maison et le fait de faire griller ainsi ses domestiques) sont logiques – comme dans tout délire.

Avec *le Horla II*, le questionnement sur la folie fait donc partie de la démarche du narrateur. Il se présente comme un esprit lucide, ou s'interroge sur son éventuelle folie, sans savoir trancher. Le lecteur est directement confronté au témoignage du journal – présenté comme un document.

Ce qui est sollicité par le texte de cette seconde version, ce n'est pas une opinion, ce n'est pas la découverte d'une aimable oscillation entre le "est-il fou, ou ne l'est-il pas ?", "le Horla existe-t-il ou non ?" : dans ce texte ces questions sont dépassées.

Ce qui demeure, c'est le partage de l'horreur, la fascination épouvantable de l'impensable à quoi le texte nous confronte sans la moindre mise à distance ni le moindre recours*.

---

* Pour une rencontre avec l'univers de souffrance qui sous-tend l'épouvante du narrateur, on pourra se reporter à l'expérience vécue par D. Schreber et dont il rend compte dans *les Mémoires d'un névropathe* (1903) Points/Seuil.

En écrivant ces deux versions, Maupassant innovait.

D'une part, en réactivant les conséquences de ce que le XVIIIᵉ siècle nommait après Fontenelle la pluralité des mondes, et dont Voltaire avait au moins tiré *Micromégas*. Mais il le faisait dans l'optique angoissante de cette fin de siècle, schopenhauérienne et post-darwinienne : les successeurs de l'homme sont peut-être déjà là, parmi nous. On connaît la fortune de ce thème des "envahisseurs" dans la science-fiction*.

D'autre part, délaissant les subtilités du fantastique classique, il inventait les conditions d'un récit d'épouvante en rupture avec la veine "gothique". Cette innovation, qui remplace l'hésitation propre au fantastique classique, comme on le voit dans *Apparition* par exemple, par la sidération et la fascination est, elle aussi, porteuse d'avenir. Les récits d'horreur modernes en dérivent : aussi bien Lovecraft, Stephen King que Serge Brussolo en exploitent avec profit les retombées.

Le Horla, sous toutes ses formes, ne cesse pas de nous hanter.

---

* Par exemple E. F. Russell, *Guerre aux invisibles*, Denoël.

L'EFFROI DU BLANC
OU LE PARADOXE DU FANTASTIQUE

> *J'ai trouvé une de ces choses rejetées*
> *par la mer ; une chose blanche, et de*
> *la plus pure blancheur.*
>
> VALÉRY, *Eupalinos.*

Graham Greene a cette intuition, pénétrante et persuasive, que c'est seulement une fois ou deux par siècle que l'on voit apparaître un écrivain. Un écrivain est quelqu'un, dit-il, qui a "le regard qui s'attarde*". Le regard qui s'attarde contrevient à l'impatience de savoir, de comprendre, de communiquer dans laquelle nous faisons s'abîmer la simple présence des choses. Chez l'écrivain on va trouver des figures de ce qui *est* lorsqu'il n'est plus pris qu'au seul *plan de la présence*. Cela est, à la limite, irréductible au regard, et l'attire pour cette raison même. Cela vaut par-dessus tout la peine que l'on "s'attarde" parce que cela concerne non plus seulement ce que les choses sont mais le fait

* "Les nouvelles de Walter de la Mare", *in* revue *Le Visage vert,* octobre 1987.

même qu'elles soient… On peut songer à Virginia Woolf, ou à Proust, dans notre siècle. Pour le précédent, il faut penser à Maupassant.

Horla : mettre le langage dans la situation non de prédiquer, de juger la chose mais d'en sonder l'absence à la prédication. Horla exprime une présence de type "chose-même". Il signale que "l'on a quitté la logique du point de vue*". Il y a hors de moi un *monde objectif* qui existe en toute indépendance : mes sens s'en avisent à l'occasion, étonnés qu'existant et pensable ne coïncident pas. On voit le Horla depuis l'angle mort : celui qu'occuperait en quelque sorte nul regard – et qui "rendrait" ce que verrait les yeux d'un cadavre. L'œil du mort ne *voit* plus le réel. C'est plutôt la chose qui entre dans ses orbites ouvertes, les traverse. Il faut être mort, qui sait, pour voir le Horla – ou poète – : il faut faire entrer le langage et le regard perspectif dans ce qui les exclut. Dehors : non pas "à l'extérieur" mais dans cette indistinction même du dedans et du dehors où se tiennent les choses quand on ne les voit pas. Le Horla semble venir d'un lieu d'où la pensée est rejetée, où l'existence est prise de façon absolue, c'est-à-dire relative à rien, factuelle et terrible. "Je l'ai vu, *c'est* lui" : le déictique lexical renvoie à un déictique visuel, à une focalisation sans perspective qui désigne sans cependant dénoter. Le fantastique est ce qu'il y a de plus simple ; il établit la factualité incontournable de la

* Patrice Loraux, *Le Tempo de la pensée*, Seuil, p. 127.

chose même. Il travaille à la fiction d'un point de vue qui proviendrait de là où il n'y a aucun point de vue. Il met l'existence hors de la pensée. La narration du *Horla* incorpore l'espace qu'occupe la chose regardée et le voici, à son tour, hors là. Il n'y a pas une once de psychologie dans tout cela. C'est, à l'inverse, comme si l'on étendait le concept d'expérience à des réalités qui ne le sont pas pour un sujet. Comme si l'on pouvait faire voir l'anéantissement du regard dans le visible, du subjectif dans l'objectif. Maupassant est un auteur parce que ce qu'il écrit ne se contente pas de nous renseigner sur ses problèmes intimes mais – c'est bien différent – expose la lettre à la chose.

Avec la chose fantastique le caractère simplement existant du réel s'expose esthétiquement, et recouvre au besoin le psychologique. Un écrivain n'a pas le dernier mot (et, conséquemment, ses commentateurs non plus). La fin des *Horla* est toujours forcément un "blanc". Parce que ce dont il s'agit y est d'un autre ordre que le texte. La chose dans le livre y résiste à la littérarité. Jochen Gerz (1969) fabrique un livre, dans le noir, avec du papier photographique. Enveloppé d'une couverture opaque le texte disparaît sitôt qu'on ouvre le volume qui le contient. Lire c'est éprouver que ce que l'on voit aveugle en fin de compte. Illisible, le Horla est seulement à voir. Mais à peine vu il étonne l'œil, s'en empare et l'éteint. Normalement, la représentation achève l'acte de percevoir : c'est une rectification des données sensibles. Le fantastique ne rectifie pas. Etre, ce n'est plus "être perçu" : c'est résister au contraire à "l'aperception". Horla est la présence sublime d'une image produite par une perception "retournée". "Il est venu", il est là. Le Horla n'a pas de visage. Plutôt une face. Il n'est pas un "être-avec" mais un "être-là". Comme un fantôme, ou une statue. Ce n'est pas un être surnaturel, métaphysique. Il est bien *ici* (pas au-delà). Justement : il est seulement *ici*, toujours "là", jamais ailleurs. Présence non pas *intéressante* mais *fascinante*. C'est la beauté fatale de ce qui est là pour rien. On insiste sur son côté effrayant et pas du tout sur la beauté qui l'habite et qui en tout cas, manifestement, l'accompagne. Le "beau trois-mâts", la pureté éclatante du lait, de l'eau. La demeure immaculée du narrateur, chaque fois. "Le soleil" qui surplombe la "clarté" de la rivière, "le plein soleil", "le grand soleil". Toujours "le beau temps", les journées "admirables". Horla vient avec le beau temps : il *est* le beau temps, l'éclat – l'énergie – du jour ensoleillé qui fait cligner des yeux par excès de visibilité. En deux mots : la beauté qui aveugle, et c'est un pléonasme.

La perception fantastique est concrète, elle est une attention (le narrateur découvre le Horla à force d'attention). Mais l'attention est mobile, temporelle, schématisante. C'est un acte réfléchi. Ici, elle est en même temps engourdie, instantanée, imitative. C'est une passion, une fascination physique. L'art fantastique est une attention à l'endroit de la fascination même. L'attention est *modification* de la chose par la pensée, alors que la fascination est un *changement* que la chose produit dans le corps. La perception fantastique est le fruit d'une exposition de l'attention à l'objet de fascination : comme une contradiction dans les termes, une voie impossible, bref – et pour cela – un *art*. Par l'artefact je vois justement l'in-visible ; ce qui n'est pas, comme tel, fait pour la vue. C'est forcément beau : que ce soit "beau" ne signifie d'ailleurs que cela : quand je le vois, je saisis à quel point ça m'ignore superbement. L'étrangeté de la présence laissée à elle-même épuise la définition de la sublime indifférence du beau…

Si Maupassant cite (avec une faute) l'*Essai sur le goût* de Montesquieu, c'est que le sentiment du fantastique est une modalité du seul "goûter". Horla n'épouvante pas par sa difformité, sa laideur : il est comme un coup de soleil dans l'œil. "Plus les sens sont affectés, dit Kant, moins ils sont informés*." Le fantastique redouble la sensation dans son étrangeté à l'égard de cette capacité de sélection qui rend possible la perception chez les êtres vivants. Les héros de Maupassant ont tendance à ne plus sélectionner, à voir plus, à voir tout. A voir la présence du réel comme il est avant même qu'on l'ait vu… Ce qui était inapparent jusque-là existait pourtant ; preuve pour ainsi dire expérimentale de l'indépendance de la chose à son "appréhension". Maintenant, avec une efficacité d'éclair, la voici qui captive l'œil. Le Horla est un violent mal aux

* *Anthropologie*, Vrin, p. 40.

119

yeux, l'ophtalmie comme preuve de l'insistance d'une extériorité absolue sur le principe de représentation.

"… le… Horla… J'ai entendu… Le Horla… C'est lui… le Horla… il est venu !…" Ce n'est pas le féerique qui fait crier, mais le réel saisi dans sa totalité. Le cri réduit le réel à sa plus simple expression. La chose fantastique est la fiction paradoxale de notre relation au réel parce que cette dernière est ce qui procure au plus haut point le sentiment du fantastique. Reconnaître le caractère réel d'une chose – souvent contre l'idée que l'on s'en faisait ! –, c'est aussitôt en éprouver la dimension fantastique. Ainsi, le *fantastique* s'oppose-t-il dans les termes et en tout et pour tout au *fantasmatique*, au féerique, au "fantaisiste". Loin de débrider l'imagination, il impose un rapport à la pire chose à imaginer : celle qui ne laisse rien à imaginer du tout, le pur fait d'exister et son événement. On peut lire en ce sens *le Horla* comme un conte fantastique *existentiel* dans l'exacte mesure où il nous fait éprouver l'existence comme un événement. Alors, "que ceci existe je le reconnais paradoxalement à l'impossibilité soudaine où je suis de dire quel il est. (…) La minceur de ce savoir est à la mesure de sa pénétration*."

"La littérature a horreur de la chose" (Serres) : les *Horla* sont une exception (on peut en voir une autre, de taille, *Moby Dick* : encore une histoire de

---

* Clément Rosset, *L'Objet singulier,* Minuit, p. 34.

chose blanche dans un livre qu'elle envahit et subjugue en fin de compte).

Traiter la couleur comme une chose est un secret fantastique. Le blanc : il y a "une sorte de peur mystérieuse cachée dans l'idée qu'on se fait de cette couleur (…) quelque chose qui saisit l'âme d'une terreur panique*". Seulement un peu de blanc est déjà envahissant. Le Horla boit du lait et il s'immisce dans le monde des humains par contagion du blanc. Idée superbe et étrange : le blanc attire le monstre, qui lui-même l'attire à lui. Le Horla est une épidémie de blanc. Tout s'apprête à devenir blanc ! Avec la couleur, l'essence s'abîme dans l'apparence. On ne peut pas plus diviser la couleur que le fait d'être. A quoi ressemble le blanc ? A du noir en très clair ? On ne peut dire le blanc qu'en l'exhibant. "Horla" est le premier mot de l'irrationalité fantastique : toute sensation est en elle-même un irrationnel, étant irréfutable sinon par une autre sensation.

"Notre pauvre esprit, effaré… épouvanté par le spectacle incessant et incompréhensible du monde", dit la note sur *le Fantastique*. Le caractère fantastique du blanc tient au fait qu'il égale le voir à un toucher. Qui cherche le Horla du regard ne voit d'abord rien, écarquille les yeux ("les pupilles dilatées", "l'œil dilaté", martèlent les textes), puis est soudain aveuglé par une mortelle blancheur. Aspect gorgonéen de la couleur par son absence

---

* Jean Giono, *Un roi sans divertissement. Œuvres romanesques complètes*, Paris, Gallimard, 1974, t. I, p. 262.

de nuance, le blanc met fin au pouvoir sécateur, séparateur, de la raison. Horla est élémentaire, au sens étymologique où il *atomise* (rend insécable) l'impression de réel. Aussi bien la peur que suscite le (les ?) Horla est-elle absolue. C'est un effroi, si l'on entend par là quelque chose de proche du rejet et de l'attirance paniques que suscitent naturellement les choses que l'on ne peut plus distinguer de leurs effets. Qui a peur voit blanc. L'objet de l'histoire "horlienne" est l'effroi ; à condition cependant de le comprendre comme l'impression que font les choses quand elles sont non pas éloignées et inconnues mais tellement proches qu'on ne les reconnaît plus. Si Horla a à voir avec le beau temps, c'est que sa couleur est aussi sa tessiture. On ne sait si Maupassant a lu les notes d'Arthur Schopenhauer sur la vue et les couleurs. Mais il est un familier – sinon un fanatique – de sa pensée. On peut croire qu'il a connaissance de la correspondance de Schopenhauer avec Goethe sur le sujet et, quoi qu'il en soit, on ne s'avance pas beaucoup en indiquant la dimension éminemment schopenhauérienne du cycle horlien quant à la théorie de la couleur.

Schopenhauer* interroge la couleur des couleurs du point de vue de l'activité rétinienne plutôt que de celui du monde physique corpusculaire : "La sensation de blanc ou de la lumière, c'est-à-dire l'activité totale de l'œil**." Comme Goethe, ses lettres au

* *Textes sur la vue et les couleurs*, Vrin, 1986.
** *Ibid.*, p. 125.

maître de Weimar en attestent, il revient à Aristote et renverse la théorie newtonienne : c'est la lumière qui est simple, la couleur est composée. Aussi bien, le blanc n'est-il pas pour lui une couleur parmi les autres mais l'événement lumineux originel à partir duquel les couleurs peuvent être distinguées. Il est la figure plastique concrète de la sensation en quelque sorte laissée à elle-même. C'est pourquoi, à la différence de ce qui se passe chez Newton, le blanc n'est plus l'absence de couleur mais ce qui arrive lorsque les couleurs se confondent et coïncident dans la réception optique entière de la lumière. C'est la plus violente des couleurs parce qu'elle est la sensation à son paroxysme. Avec le blanc rien ne manque à la sensation. Les versions du *Horla* "réalisent" la théorie schopenhauérienne du blanc. Horla est la force d'apparaître comme telle. Le récit qui en parle est happé par l'acte même de la perception commençante. Le blanc attire la représentation dans l'orbite de ce qui la précède, dans les filets du réel. Le blanc n'est pas l'absence de chose mais l'excès de présence.

Ainsi, Maupassant dégage et exprime le sentiment moderne du caractère fantastique du réel en lui-même. Le paradoxe tient à ce qu'avec lui la sensibilité au monde extérieur, loin d'être refoulée ou sublimée, devient en quelque sorte totale. Le monde n'y étant plus saisi que dans ce qui de lui ne peut plus être intériorisé, la *signification* de ce qui arrive s'y confond avec son *événement*. C'est, aussi bien, une "effrayante tache rouge à trois pas de mes yeux" ou, encore plus simplement, "des choses" ("J'ai vu hier des choses"). La chose fantastique, voisine en cela de la Beauté subjuguante dans laquelle les Grecs voyaient le danger suprême (Sophocle), n'exprime plus une signification prégnante pour un sujet, une *valeur* qui l'affecterait. Elle n'est pas un supplément énigmatique à l'objectivité. L'équation entre le caractère fantastique d'une réalité et sa charge de présence ramène tout ce que l'on pourrait en dire à l'intuition suivant laquelle "plus le sentiment du réel est intense, plus il est indescriptible et obscur*". C'est pourquoi il fallait appeler fantastique l'art qui réalise le miracle de représenter l'absence du réel comme tel à la représentation.

"Rien, mais j'ai peur" : je ne vois pas, donc c'est là. Le blanc dans le texte est à prendre à la lettre. Moins de texte, plus de réel. *Les Horlas* sont la fiction d'un moins de fiction et de plus de réel, si c'est possible. Maupassant nous apprend à accepter d'en rester là : à vouloir entrer dans ce moment où s'installe la proximité du réel comme telle, et à y entrer à pleine fiction. A vouloir accompagner comme à distance la façon dont elle épuise la distance même, la délégation romanesque, la métaphore... la fiction.

* C. Rosset, *op. cit.*, *ibidem.*

TABLE

BΛBEL

Extrait du catalogue

COÉDITION ACTES SUD – LABOR – L'AIRE – LEMÉAC

Ouvrage réalisé
par les Ateliers graphiques Actes Sud.
Achevé d'imprimer
en juillet 1995
par l'Imprimerie Darantiere
à Quetigny-Dijon
sur papier des
Papeteries de Jeand'heurs
pour le compte
d'ACTES SUD
Le Méjan
Place Nina-Berberova
13200 Arles

N° d'éditeur : 1840
Dépôt légal
1ʳᵉ édition : août 1995
N° impr. : 95-0758